MI ADORADO JUAN

Miguel Mihura

MI ADORADO JUAN

*Comedia en dos actos,
y cada acto dividido en dos partes*

Original de

MIGUEL MIHURA

Edited by

JOHN V. FALCONIERI
Western Reserve University

ANTHONY M. PASQUARIELLO
Pennsylvania State University

Blaisdell Publishing Company
A DIVISION OF GINN AND COMPANY
Waltham, Massachusetts · Toronto · London

To D and D, *uxores eximiae*

PREFACE

Miguel Mihura, one of the foremost satirists of the contemporary Spanish theatre, is well known in Europe. His plays have been produced in Germany, Portugal, and Italy; but only now, through recent pedagogical editions, is he being introduced to American students of Spanish literature.

The simple and lucid style of *Mi adorado Juan* reflects the conversational speech of modern Madrid. In order to retain the flavor of the original as much as possible, the footnotes are frequently given in English idiomatic equivalents. Words translated in the notes are not listed in the vocabulary unless they appear elsewhere in the text. Since the constructions are uncomplicated and the few difficult idiomatic forms are translated, the play would be suitable for either third-year high school students or third-semester college students.

Numerous questions, designed to help textual comprehension, do not require complex answers, and thus may be used as a basis for oral and written drills.

The editors wish to express their gratitude to Miguel Mihura for his permission to edit the text and to make certain modifications in order to eliminate linguistic problems for students. We also thank him for his photograph and those of the play's original production in Madrid. And finally, we extend our appreciation to Professor J. González Muela for reading parts of the edition.

J.V.F.
A.M.P.

CONTENTS

MIGUEL MIHURA'S DRAMATIC FORMULA

Born in Madrid in 1905, Miguel Mihura belongs to the same generation as Enrique Jardiel Poncela, Alejandro Casona, and José López Rubio. He has written some sixteen plays (three in collaboration with other authors). Like López Rubio, he has written most of his plays since 1950.

Before 1950, Mihura held a wide variety of writing jobs. In his early twenties, he worked as a journalistic hack for several Madrid newspapers. Later he wrote short stories and feature articles under the pseudonyms Miguel Santos and El Conde de Pepe for such magazines as *Buen Humor, Gutiérrez,* and *Cosquillas.* He also has some thirty film scripts to his credit (most of them written before 1952), including a very successful satire on the Marshall Plan for aid to Europe, *Bienvenido Mr. Marshall.* However, it was as founder and editor of two extremely popular comic magazines, *La Ametralladora* and *La Codorniz,* that Mihura earned an enviable reputation for the type of offbeat humor which came to be the trademark of his theatre.

Mihura learned his theatrical craft from the inside. His father was one of the better comic actors of his time and an occasional playwright. The young Mihura often observed his father rehearsing and performing in the farces of Carlos Amiches, Antonio Paso, and Pedro Muñoz Seca. From this rich experience Mihura assimilated the perspectives of actor, director, and stage designer, as well as playwright. Today Mihura takes personal charge of all the rehearsals of his plays; no Madrid producer denies him this extraordinary privilege. He casts the play, suggests the set design, blocks the action, determines the mood and tempo of the scenes, and creates all stage business.

Mihura is one of a number of contemporary Spanish play-
wrights who take advantage of low production costs to develop
plays in rehearsal. He has, on occasion, started to rehearse a
three-act play after he had written only one act. This technique
offers the playwright valuable insights into the development of
both plot and characters, says Mihura. The characters come alive,
and as they do the author perceives the direction which his plot
must take in order to fulfill them. López Rubio has used the
technique occasionally; Alfonso Paso employs it far too often for
the good of his plays or players. The late Jardiel Poncela, to
whom Mihura is often compared, was notorious for writing or
revising the final scenes just a few days before the première.

There is another facet of Mihura's reputation which may be of
special interest to the readers of *Mi adorado Juan.* It is said that
he is dreamy, sentimental, and an ambitionless bachelor, very like
the protagonist of *Mi adorado Juan.* We suspect that Mihura
himself has shaped this image. Certainly it has its advantages;
no one annoys him at siesta time, and no one invites him to cocktail parties. Thus he does only what he wishes and works only
when he is so inclined. Since *Maribel y la extraña familia,* produced during the 1959–1960 season, shattered all box office records
in the history of the Spanish theatre, he has been less active as a
writer.

Though Mihura's work is not categorized as avant-garde
Theatre of the Absurd, the world of many of his plays is as
wildly unreal as that of Ionesco. His first play, *Tres sombreros
de copa,* has all of the chaos, bawdiness, and idiocy associated with
the Absurd. It is the story of an ordinary young man, Dionisio,
who becomes innocently involved in a succession of contretemps
with a group of mediocre performers who are fellow lodgers in
a provincial hotel. Mihura's intent is clearly to make nonsense
out of everything, including nonsense. Sometimes this exhilarat-
ing play is terribly funny; sometimes (and this is true of all good
farce) it is terribly sad.

It is also interesting to note that *Tres sombreros de copa* was written in 1932 but not performed until 1952. Mihura probably considered it so preposterous that it remained a skeleton in his closet for twenty years. Ironically, it was precisely this play which launched his career as Spain's leading comic playwright when it won for him the coveted "Premio Nacional de Teatro."

In most of his plays Mihura has adhered to a formula which has served him well. There is an unimportant story line, implausible action, extravagant humor, and wild visual effects. We are constantly charmed by the crisp dialogue sprinkled with nonsequiturs, irrelevancies, and the inanities of ordinary talk. In addition, Mihura knows how to plant comic devices, often unrelated to the story line, which quickly sprout into a rich thicket of confusion. Even in the Mihura plays which are classified as farcical mysteries, such as *El caso de la mujer asesinadita* (in collaboration with Alvaro de Laiglesia), *Carlota,* and *Melocotón en almíbar*, he holds to the formula. These mysteries are in the tradition of *Arsenic and Old Lace* in that the story interest does not collapse as soon as the audience learns "how it will turn out."

Only in *Mi adorado Juan* is there an appreciable deviation from the formula. Here Mihura is exploring the role of illusion in the lives of ordinary people. This theme has also been treated extensively by Casona and López Rubio. In the words of Don Florín in the final act of *La sirena varada* ". . . por dura que sea la verdad hay que mirarla de frente," Casona sees reality as an absolute to be confronted. Mihura, on the other hand, has no patience with this view. His own philosophy is closer to that of López Rubio, who dwells upon the comic aspects of the conflict between fantasy and reality, avoiding sentimentality as much as possible. The theatrical critic Alfredo Marqueríe characterized Mihura's handling of the theme as ". . . la impronta de un auténtico escritor, culto, original, sensible, un poeta que se ocultó debajo de la burla y de la broma para no romper a escribir versos como un loco."[1] Evidently the official tribunal agreed with this

---

[1] *Teatro español, 1955–1956*, Aguilar, Madrid, 1957, p. 122.

opinion because *Mi adorado Juan* was awarded the "Premio Nacional de Teatro" for the 1955–1956 theatre season in Madrid.

Plays like *Mi adorado Juan* are broadly characterized as *teatro de evasión*, a term which unfortunately connotes an escapist theatre. Casona questioned the validity of this connotation with some perceptive remarks when he was asked recently if he were an "escapista."

"No soy un 'escapista' que cierra los ojos a la realidad circundante, creyendo anularla con el candoroso expediente de no mirarla. Lo que ocurre es que, sencillamente, que yo no considero sólo como 'realidad' la angustia, la desesperación, la negación y el sexo. Creo que el sueño es otra realidad tan 'real' como la vigilia; que una gota de llanto enamorado es tan humanamente respetable como cualquier gota de sudor, y que la inmensa mayoría de las verdades que nos permiten curar una llaga o acercarnos a la luna se las debemos, en primer lugar, a nuestra maravillosa capacidad de fantasía."[2]

In our play, Juan and his odd friends symbolize man's eternal desire for expanded horizons, for the widest explorations of man's possibilities. They are not beatniks deriding tradition. Rather, they belong to the adventurous band who reach for the moon while others remain earthbound. The so-called realist in the play, Manríquez, is entirely tied to earth and is therefore totally unable to communicate with Juan and his friends, as he indicates by his remark, "Tienen Vds. una manera tan original de ver la vida, que la conversación se hace difícil."

At the heart of Mihura's examination of modern man and of science-oriented society lies the deeper questioning of what constitutes reality. If one admits that an important function of literature is the stretching of possibility, then why should one not include all possibilities—fact and fantasy, truth and lie, good and

---

[2] José Luis Cano, "Charla con Alejandro Casona," *Insula*, Año XVII, núm. 191, p. 5.

evil, love and hate, sense and nonsense? They are always with us. Why, then, not admit to the theatre the illogical, no less real than all of the other elements of life? Always interested in the illogical and offbeat, Mihura seems to be trying to make sense out of nonsense in *Mi adorado Juan*.

Despite the basically serious questioning of middle-class values, *Mi adorado Juan* retains the gimmicks and visual effects which the public has come to expect of a Mihura play. Moments after the curtain rises an unkempt creature shepherds five barking dogs through Dr. Palacios' study. In Act II we have a typical Mihura effect when Juan places his angry wife, Irene, in front of a mirror and, setting a shoe on her head, explains that "Cuando uno se enfada, lo mejor es ponerse un zapato en la cabeza y mirarse al espejo. Así se encuentra uno ridículo, se ríe, y el enfado desaparece." This is the touch of a poet.

In theatricalism and corrosive effect Mihura somewhat resembles Chaplin. His people are never heroic, nor do they find true love. Even in the apparently conventional ending of *Mi adorado Juan*, Mihura did not intend to suggest that love conquers all. In fact, he revised the final scene before the opening performance in Barcelona so as to leave considerable doubt about the future of Juan and Irene. Few of Mihura's characters can boast of notable virtues. They are rather ordinary human beings who stumble into perplexities generated by their own foolishness. The interplay of reality and fantasy, of sense and nonsense, and the constant shift from one to the other is usually motivated by a poetic lie. As the Bishop says in Jean Genêt's play *The Balcony*, "Reality lacks the value of a lie, and it is only in dreams that we can drown ourselves." To drown ourselves in dreams by sustaining a poetic lie can lead to farce or tragedy. Mihura, as we shall see, has chosen the path of laughter.

PLAYS BY MIGUEL MIHURA

SELECTED BIBLIOGRAPHY

GUERRERO ZAMORA, JUAN, *Historia del teatro español*, III, Barcelona, 1961.

MARQUERÍE, ALFREDO, *Veinte años de teatro en España*, Madrid, 1959.

MARQUERÍE, ALFREDO, "Miguel Mihura, visto por Alfredo Marqueríe," *Primer Acto,* número 10 (1959), p. 20.

PARKER, JACK H., *Breve historia del teatro español*, México, 1957.

PREGO, ADOLFO, "Teatro de Miguel Mihura," *Primer Acto,* número 10 (1959), pp. 17-19.

Teatro español, 1952-1953, Aguilar, Madrid, 1954, pp. 92-96 (Reviews of *Tres sombreros de copa*).

Teatro español, 1953-1954, Aguilar, Madrid, 1955, pp. 73-79 (Reviews of *A media luz los tres*).

Teatro español, 1954-1955, Aguilar, Madrid, 1956, pp. 342-346 (Reviews of *Sublime decisión*).

Teatro español, 1955-1956, Aguilar, Madrid, 1957, pp. 121-126 (Reviews of *Mi adorado Juan*).

Teatro español, 1956-1957, Aguilar, Madrid, 1958, pp. 327-332 (Reviews of *Carlota*).

Teatro español, 1959-1960, Aguilar, Madrid, 1961, pp. 77-84 (Reviews of *Maribel y la extraña familia*).

TORRENTE BALLESTER, GONZALO, *Teatro español contemporáneo*, Madrid, 1957.

WOFSEY, SAMUEL A., "La calidad literaria del teatro de Miguel Mihura," *Hispania*, XLIII (1960), pp. 214-218.

MI ADORADO JUAN

Esta obra se estrenó en Madrid, en el teatro de la Comedia, la noche del 11 de enero de 1956, con el siguiente reparto:

DOCTOR PALACIOS	Rafael Alonso
MANRÍQUEZ	Carlos Mendy
PEPITA	Carmen Pérez Gallo
CECILIA	Marta Mendel
SEBASTIÁN	Antonio Martínez
IRENE	María del Carmen Díaz de Mendoza
JUAN	Alberto Closas
VIDAL	Julio San Juan
LUISA	Eulalia Soldevila

La acción en Europa, en cualquier gran ciudad con puerto. Época actual. Derecha e izquierda las del espectador.

ACTO PRIMERO

Cuadro Primero

Severo despacho-biblioteca en la mansión del DOCTOR PALACIOS, eminente químico e investigador. Muchos libros gordos en las estanterías. Una mesa de despacho también llena de libros y papeles. Otra pequeña, al lado, con tubos de cultivos, probetas, etc. Sofá y butacas de cuero. Un amplio ventanal que da al jardín, y por el que, en algún momento, debemos ver llover. Una puerta al foro, en el centro, que comunica con otras amplias habitaciones. Y una segunda puerta, a la derecha, donde el famoso biólogo tiene instalado su laboratorio.

(*Son las siete de la tarde, aún es de día, y al levantarse el telón, el* DOCTOR PALACIOS, *que viste bata blanca,[1] está sentado en su sillón de la mesa de despacho.* DON LUIS PALACIOS *es un hombre de unos setenta años, enjuto a ser posible,[2] con barbita gris y pelo descuidado. Su postura es la de un hombre preocupadísimo, ya que apoya su mandíbula en la mano, el brazo de esta mano en la mesa, y una pierna, que balancea nerviosamente, la tiene apoyada sobre el brazo del sillón. En un butacón y en otra postura semejante, está su ayudante, el* DOCTOR MANRÍQUEZ, *también con bata blanca de trabajo. Es un hombre de unos treinta y cinco años, usa gafas y tiene cierto aire presuntuoso. No es exactamente el malo de las películas,*

---

[1] bata blanca (de trabajo) *white (laboratory) smock*
[2] enjuto a ser posible *as dried up as possible*

pero reune condiciones para serlo. Y también, como
PALACIOS, *mira al suelo ensimismado en sus pensamientos.*
A los pocos instantes de levantarse el telón, por la puerta
del foro entra una doncella muy mona y muy bien vestida,
que cruza la escena en silencio y hace mutis por la puerta
del laboratorio, sin que ninguno de los dos se fije en ella.
Inmediatamente vuelve a salir por la misma puerta,
seguida de CECILIA, *otra ayudante del* DOCTOR PALACIOS,
que también viste bata blanca y es joven y bonita, y las
dos hacen mutis por el foro. Un instante después vuelve
a salir CECILIA, *seguida de* SEBASTIÁN, *un hombre gordo,*
con la barba crecida, el traje medio roto, las botas sin atar
y todo el aspecto de un "sin trabajo"[3] pero no forzoso,
sino deliciosamente voluntario. Lleva atados con una
cuerda cinco perros ratoneros, a los que el autor les agra-
decería mucho que fueran ladrando y, seguidos todos por
la doncella, hacen mutis por la puerta del laboratorio.)

PALACIOS. —(*Levantando la cabeza, después del mutis.*) Oiga,
Manríquez...

MANRÍQUEZ. —¿Qué, doctor?

PALACIOS. —¿Ha pasado alguien por aquí?

MANRÍQUEZ. —¿Por dónde?

PALACIOS. —Por aquí. Por esta habitación.

MANRÍQUEZ. —No me he dado cuenta, doctor Palacios.

PALACIOS. —Yo tampoco... Pero me había parecido como si hubiese
pasado alguien.

MANRÍQUEZ. —Pues no sé... Está uno tan preocupado...

PALACIOS. —Es verdad... ¿Cómo no va a estar uno preocupado
con lo que sucede en esta casa?

(*Y vuelven a sus posturas preocupadas, hasta que suenan*
siete campanadas en un reloj de pared. Después de oírlas,

---

[3] y todo . . . "sin trabajo" *and every appearance of an "unemployed"*

el DOCTOR PALACIOS *se levanta y da una vuelta por la habitación, mientras dice.*)

¡Las siete!

MANRÍQUEZ. —(*También se levanta y pasea.*) ¡Las siete y ocho, porque va atrasado!

PALACIOS. —¡Es cierto! ¡Las siete y ocho! ¡Qué barbaridad![4]

(*Dan una pequeña vuelta y terminan sentándose en las mismas posturas, pero cambiando los sitios.* PALACIOS, *se sienta donde estaba* MANRÍQUEZ *y éste donde estaba* PALACIOS. *En seguida vuelve a salir la doncella del laboratorio y cuando va llegando a la puerta del foro, el* DOCTOR PALACIOS *la llama.*)

¡Pepa!

(*Pero la doncella no hace caso y hace mutis. A* MANRÍQUEZ.)

(*Enfadado.*) ¿Por qué no me ha hecho caso Pepa cuando la he llamado?

MANRÍQUEZ. —(*Siempre pensativo.*) Porque no se llama Pepa, profesor.

PALACIOS. —¿Cómo se llama entonces?

MANRÍQUEZ. —Pepita.

PALACIOS. —¡Ah, es verdad! Pepita... (*Y la llama gritando.*) ¡Pepita!... ¡Pepita!

(*Y* PEPITA, *la doncella, vuelve a entrar por la puerta del foro.*)

PEPITA. —¿Llamaba el señor?

---

[4] ¡Qué barbaridad! *That's terrible!*

PALACIOS. —Sí, Pepita... Dígame usted una cosa. ¿La señorita Irene no ha vuelto todavía?

PEPITA. —Aún no, señor.

PALACIOS. —¿A qué hora salió de casa?

PEPITA. —A las cuatro en punto, señor.

PALACIOS. —¿Y le dijo a usted dónde iba?

PEPITA. —Sí, señor.

PALACIOS. —¿A dónde?

PEPITA. —Al Congo belga, señor.

PALACIOS. —Bien. Puede usted marcharse.

PEPITA. —Sí, señor.

(*Y hace mutis por la puerta del foro, mientras* PALACIOS *se levanta y vuelve a pasear.*)

PALACIOS. —Ya lo ha oído usted. Se ha marchado al Congo belga como todas las tardes, a pesar de habérselo prohibido terminantemente... ¿Y quién tiene la culpa de todo esto?[5]

MANRÍQUEZ. —No irá usted a decir que la tengo yo,[5] profesor.

PALACIOS. —Pues claro que la tiene usted, Manríquez. Hace siete años que vive usted en esta casa, junto a mí y junto a ella y en todo este tiempo no ha sido usted capaz de conquistarla.

MANRÍQUEZ. —¿Pero cómo la voy a conquistar si se va todas las tardes al Congo belga?

PALACIOS. —Eso es reciente y usted sabe muy bien que sólo hace veinte o treinta días que se marcha a la calle a pindonguear con ese sujeto... Pero antes de llegar a esto no ha salido apenas de casa; nos ha ayudado en nuestros trabajos de laboratorio; hemos ido juntos a conferencias científicas y culturales y a Congresos médicos; hemos pasado mañanas enteras visitando hospitales y clínicas y no sólo ha sido la hija buena y respetuosa, sino nuestra

---

[5] ¿Y quién . . . yo *And who is to blame for all this? You're not going to tell me that it's my fault*

más eficaz colaboradora gracias a la cual hemos conseguido todos los perros que necesitábamos para nuestras experiencias... ¿Y ahora, qué? ¿Tenemos perros suficientes? ¡No, Manríquez, no nos engañemos! Ahora, ni tenemos perros ni tenemos nada y todo va manga por hombro.[6]

(*Entra* Cecilia *por la puerta del laboratorio.*)

Cecilia. —Perdón, doctor... Sebastián ha traído cinco perros y está esperando aquí, en el laboratorio.

Palacios. —¿Cuándo ha traído esos cinco perros?

Cecilia. —Hace un momento, doctor... Hemos pasado por aquí, pero estaba usted tan preocupado que, por lo visto, no se ha dado cuenta... Ni el doctor Manríquez tampoco.

Palacios. —¿Y por qué no nos ha avisado, demonio?

Cecilia. —No quería distraerle, profesor.

Palacios. —¿Y le ha dicho usted a Sebastián que estamos esperando esos perros hace quince días?

Cecilia. —Sí, doctor... Pero dice que ya no encuentra perros sueltos por la ciudad... Que robar perros se está poniendo muy difícil y que en lugar de los cuarenta duros que le he pagado por cada perro, quiere cobrar setenta.

Palacios. —¿Setenta duros por cada perro? ¡De ninguna manera![7]

Cecilia. —Es que dice que si no le pagamos eso, se los llevará.

Palacios. —¡Ah! ¿Y además amenazas? Pues dígale que yo hablaré con él. Y que espere, que ahora estoy ocupado. ¡Pues estaría bueno![8]

Cecilia. —Sí, doctor.

(Y Cecilia *hace mutis por la derecha.*)

---

[6] todo . . . hombro *everything is going to pot*
[7] ¡De ninguna manera! *By no means!*
[8] ¡Pues estaría bueno! *That would be fine!* (*sarcastically*)

PALACIOS. —Ya lo está usted viendo, Manríquez. ¡Setenta duros por cada perro desde que Irene no se ocupa de nuestros asuntos! ¿Y por qué? Porque usted, que es guapo, y listo, y audaz, y que además está enamorado de ella, no ha sido capaz de conquistarla y de que se casara con usted, como era mi ilusión.

MANRÍQUEZ. —Me he declarado muchas veces a Irene...

PALACIOS. —Pero no habrá usted puesto entusiasmo...[9] Y mi hija, por lo visto, necesita entusiasmo, arranque, pasión, palabras bonitas... ¡Qué sé yo! Algo especial.

MANRÍQUEZ. —Eso especial ya lo ha encontrado...

PALACIOS. —¡Pero yo no autorizaré ese matrimonio, óigalo bien! ¡Yo me negaré rotundamente a que mi hija se case con un hombre que no sabemos quién es, ni a lo que se dedica; pero que la ha vuelto loca de remate[10] y ha conseguido que se vaya con él a la calle todas las tardes! Y que cuando le pregunto a dónde va, me contesta que al Congo belga, que es una chulería inadmisible, impropia de una señorita que se ha educado en un colegio inglés.

MANRÍQUEZ. —Yo no puedo hacer más de lo que he hecho, profesor...

PALACIOS. —(*Va hacia él y le habla con tono conmovido.*) De todos modos, tenemos que luchar de nuevo, Manríquez... Tiene usted que volverla a hablar... Y háblele de que pronto seremos famosos en el mundo entero... De que nuestra droga milagrosa revolucionará el universo... Háblele de millones, de lujo, de comodidades, de fama, de celebridad... Háblele también un poco de amor... Pero que no se nos vaya de aquí.[11] No puedo perderla, Manríquez... Es mi hija, y la quiero... No la podemos dejar escapar de nuestro lado...

MANRÍQUEZ. —Sí, profesor.

---

[9] Pero . . . entusiasmo. *But you probably didn't put much enthusiasm into it.*

[10] loca de remate *completely crazy*

[11] Pero . . . aquí. *But let's not let her get away.*

(*Por la puerta del foro aparece* IRENE. *Es una muchacha de unos veinticinco años, bonita, sonriente, que viste con sencillez pero con gusto. Lleva puesto*[12] *un impermeable y un sombrerillo o boina, que se empieza a quitar al entrar.*)

IRENE. —Hola, buenas tardes.

PALACIOS. —¡Ah! ¿Estás ya de vuelta?

IRENE. —Sí, papá... Acabo de volver. ¿Querías algo?

PALACIOS. —Te prohibí que salieras.

IRENE. —Creí que era una broma...

PALACIOS. —¡Yo no gasto bromas, Irene!

IRENE. —¡Qué lástima! ¡Con lo bien que se pasa![13] (*Y saluda a* EMILIO.) ¿Qué tal, Emilio?...

MANRÍQUEZ. —Ya ves...

PALACIOS. —¡Quiero hablar contigo seriamente!

IRENE. —¿Más aún?

PALACIOS. —Más aún.

IRENE. —¿Siempre de lo mismo?

PALACIOS. —Siempre de lo mismo.

IRENE. —Estoy a tu disposición, papá.

(*Y se sienta cómodamente en una butaca.*)

MANRÍQUEZ. —¿Me marcho, profesor?

PALACIOS. —No. Le ruego que se quede.

MANRÍQUEZ. —Como usted quiera, profesor.

(*El* DOCTOR PALACIOS *se sienta en el sillón de su mesa,* IRENE *en una butaca y* MANRÍQUEZ *en otra. Hay una pausa.*)

---

[12] Lleva puesto *She is wearing*

[13] ¡Con . . . pasa! *Considering what fun it is!*

IRENE. —Estoy preparada, papá. Puedes empezar cuando desees.

PALACIOS. —Pues bien, Irene... Desde hace una temporada,[14] en lugar de portarte como lo que eres, como una señorita inteligente, juiciosa y formal, hija de un científico famoso, te estás portando como una peluquera de señoras.

MANRÍQUEZ. —Exactamente.

IRENE. —¿Ah, sí? ¡Qué ilusión!

PALACIOS. —¿Por qué "qué ilusión"?

IRENE. —Me encanta parecer una peluquerita de señoras... ¡Son tan simpáticas y tan alegres! ¡Tienen tantos temas distintos de conversación...!

PALACIOS. —¿Quieres callar?

IRENE. —Sí, papá.

PALACIOS. —Desde que tu pobre madre faltó, tú has hecho sus veces y has llevado la casa,[15] y siempre he estado orgulloso de ti... Por mi parte, jamás te he negado nada... Ningún capricho. Ningún deseo... Pero esto sí, Irene. Te prohibo nuevamente, y esta vez muy en serio, que vuelvas a verte con ese hombre.

IRENE. —Pero, ¿quieres explicarme por qué?

PALACIOS. —Porque ni siquiera sé quién es, ni lo que hace.

IRENE. —No importa. Yo tampoco. Pero ya lo sabremos algún día.

PALACIOS. —¡No sabes aún de lo que vive!

IRENE. —Él vive de cualquier manera... No tiene ambiciones ni necesidades... Su manjar preferido es el queso y duerme mucho... Y como está casi siempre en el café, apenas necesita dinero para vivir...

MANRÍQUEZ. —Entonces es un holgazán.

PALACIOS. —Claro que sí.

IRENE. —Nada de holgazán, papaíto... A él le gusta trabajar para los demás, pero sin sacar provecho de ello... sin que se le note

---

[14] Desde hace una temporada *For a while now*
[15] tú has . . . casa *you have taken her place and you have managed the house*

que trabaja...[16]   Él dice que trabajar mucho, como comer mucho, es una falta de educación. ¡Son cosas de Juan![17]

PALACIOS. —¡Pero no tiene oficio!

IRENE. —¿Cómo que no? Es el número uno de su promoción.

PALACIOS. —¿De qué promoción?

IRENE. —¡Cualquiera lo sabe![18] A él no le gusta hablar nunca de promociones... Eso me lo dijo un amigo suyo, en secreto.

PALACIOS. —¡Pero con un hombre así serás desgraciada!

IRENE. —Si estoy con él no me importa ser desgraciada... Estoy segura que ser desgraciada con él, debe ser la mayor felicidad.

PALACIOS. —Me has dicho varias veces que iba a venir a hablarme y no ha venido, ¿por qué?

IRENE. —Es que se le olvida... Pero ya vendrá.

PALACIOS. —Si se quiere casar contigo, ¿cómo se le puede olvidar una cosa así?

IRENE. —Le fastidian las ceremonias y la formalidad.

PALACIOS. —¿Y cómo pretendes casarte con un hombre al que le fastidia el trabajo y la formalidad? ¡Vamos, contesta!

IRENE. —¿Quieres de verdad que te conteste?

PALACIOS. —Sí, claro... Te lo exijo.

IRENE. —Pues justamente porque vivo contigo y con Manríquez y estoy de formalidad hasta la punta del pelo...[19] Justamente porque toda mi vida he sido formal, seria y respetuosa y he frenado con mi educación todos mis sentimientos... Y ahora quiero sentir y padecer y reír y hablar con la libertad de esa peluquerita de señoras a que tú antes te referías... Juan no es formal, no es, si quieres, trabajador; no tiene una profesión determinada; no se encierra en un laboratorio para hacer estudios profundos sobre biología; no es ambicioso, y el dinero y

---

[16] sin que . . . trabaja *without anyone noticing that he works*
[17] ¡Son cosas de Juan! *These are things John believes in!*
[18] ¡Cualquiera lo sabe! *Who knows!*
[19] estoy . . . pelo *I've had all the formality I can take*

la fama le importan un pimiento...[20] Pero yo le adoro... Y
quiero que tú se lo digas, papá, que hables con él, que le con-
venzas para que se case conmigo, porque la verdad es que no
tiene ningún interés en casarse...

PALACIOS. —¿Pero ahora resulta que no quiere casarse contigo?

IRENE. —No, papá... ¡Pero si ahí está lo malo![21] Él dice que no
ha pensado en casarse en su vida, que no quiere echarse obliga-
ciones, y que se encuentra muy a gusto en el bar jugando al
dominó con sus amigos...

MANRÍQUEZ. —Pero, ¿es que también juega al dominó?

IRENE. —Es campeón de su barrio.

PALACIOS. —¡Pues qué maravilla de novio,[22] hijita!

IRENE. —Por eso, papá, tú tienes que ayudarme, para que si quiere
seguir jugando al dominó, lo haga aquí, en nuestra casa, conmigo y contigo, después de cenar, y si Manríquez quiere, que
haga el cuarto...

MANRÍQUEZ. —Eso es una impertinencia, Irene.

IRENE. —Perdóname... No he querido ofenderte.

PALACIOS. —Entonces tú estás loca, ¿verdad?

IRENE. —Sí, papá, estoy loca por él... ¿Qué quieres que le haga?[23]

PALACIOS. —Pues muy bien. Quiero arreglar este asunto inmediatamente. ¿Dónde estará ahora ese sujeto?

IRENE. —No lo sé. Hemos ido juntos dando un paseo... Después
me dejó y se fué... Cualquiera sabe dónde está.[24]

PALACIOS. —Pero después de veros, ¿no habéis quedado en nada?[25]

IRENE. —Él nunca queda en nada, papá.

PALACIOS. —¿No le puedes llamar por teléfono a ninguna parte?

---

[20] le importan un pimiento *don't mean a thing to him*
[21] ¡Pero . . . malo! *But that's what's bad about it!*
[22] ¡Pues . . . novio *Well, what a wonder of a boy friend (sarcastically)*
[23] ¿Qué quieres . . . haga? *I can't help it. (literally: What do you
want me to do about it?)*
[24] Cualquiera sabe dónde está. *Who knows where he is!*
[25] ¿no habéis . . . nada? *didn't you make a date?*

Irene. —Sé el teléfono de una vecina de su casa que le da los recados... A lo mejor está allí.

(Y *al decir esto ya ha empezado a marcar un número en el teléfono que hay sobre la mesa.*)

Palacios. —Pues llama a esa vecina y que le dé el recado de que venga a verme inmediatamente.[26]

Irene. —(*Al teléfono.*) Por favor... ¿Usted podría darle un recado al señor González? Bueno, perdón, me refiero a Juan... Sí, Juan... Ya sé que nadie le conoce por su apellido... Ah, claro... Sí... Desde luego... ¡Hace un rato! ¿Y cree usted que tardará en volver? Claro, no se sabe nunca... A lo mejor, cinco o seis días... Bueno, pues déjelo entonces...[27] Muchas gracias... Adiós. (*Y cuelga.*) No está. Dice la vecina que le vió salir con una caña y que se ha debido ir a pescar.

Palacios. —Pero, ¿cómo a estas horas y con el agua que está cayendo, un hombre decente puede irse a pescar?

Irene. —Si le gusta, ¿por qué no va a hacerlo? Él tiene una barca en el puerto y, cuando quiere, se va a pescar con unos amigos.

Palacios. —Pero lloviendo como llueve, ¿qué amigos va a encontrar para ir de pesca en una lancha?

Irene. —Él tiene amigos en todas partes, papá. Todos le quieren y le buscan... Estoy segura que sólo tú y Emilio sois los que todavía no conocéis a Juan.

Manríquez. —Afortunadamente.

Palacios. —(*Llevándose la mano al costado y con gesto de dolor.*) Me estás matando a disgustos, Irene.

Irene. —¿Qué te pasa, papá?

Manríquez. —¿El hígado?

---

[26] y que . . . inmediatamente *and have her give him the message to come and see me immediately*

[27] Bueno, pues déjelo entonces. *Well, never mind then.*

Palacios. —Sí, Manríquez, el hígado... Parece mentira que yo, que descubro tantas drogas mágicas no haya descubierto aún ningún remedio para que mi hígado no me dé la lata.[28]

(*Entra* Pepita *por el foro.*)

Pepita. —Perdón, doctor... Han venido dos señores que preguntan por usted o por la señorita.
Palacios. —¿Quiénes son?
Pepita. —Uno me ha dicho que se llama Juan.
Irene. —¡Juan! ¡Por fin! Vendrá con cualquier amigo... Dígales que pasen en seguida.
Pepita. —Sí, señorita.

(*Y hace mutis por donde entró.*)

Palacios. —¡Bueno! Me alegro mucho que venga aquí esa alhaja... Ya es hora de que liquidemos este asunto de una vez para siempre.
Manríquez. —Yo creo que debo retirarme, doctor.
Palacios. —Nada de retirarse... Usted se sienta y se queda aquí.
Manríquez. —Pero debe usted comprender...
Palacios. —No tengo nada que comprender... También a usted le conviene mucho conocer a ese sujeto... Siéntese.
Manríquez. —(*Haciéndolo.*) Como usted mande, profesor.
Palacios. —(*A* Irene, *que está de pie, cerca de la puerta.*) Y tú, Irene, siéntate también.
Irene. —Sí, papá.

(*Y los tres, sentados en sus sitios, esperan. Pero pasa un tiempo y no aparece nadie. El* doctor Palacios *se pone más nervioso.*)

---

[28] no me dé la lata *does not bother me*

PALACIOS. —¡Bueno! Pero, ¿qué pasa que no entra?

IRENE. —No sé, papá. (*Y se levanta.*) Le voy a ir a buscar.

PALACIOS. —¡Tú no te muevas de aquí!

IRENE. —(*Vuelve a sentarse.*) Sí, papá.

(*Y pasa otro tiempo.*)

PALACIOS. —(*Furioso.*) ¿Pero es que nos va a tener así toda la tarde? (*Y se levanta y va hacia la puerta y grita.*) ¡Pepa! ¡Pepita! (*Y vuelve a sentarse en su sillón de la mesa hasta que entra* PEPITA.)

PEPITA. —(*Desde arriba.*) ¿Llamaba el señor?

PALACIOS. —¿Qué hacen esos señores que no pasan?

PEPITA. —Me han pedido por favor que les dejara entrar en la cocina a beber agua.

IRENE. —¿Y cómo no les ha servido el agua aquí?

PEPITA. —Se lo he dicho, pero han preferido ir a la cocina.

PALACIOS. —¡Pero para beber agua no es necesario que tarden tanto tiempo!

PEPITA. —Es que se han hecho muy amigos de la cocinera y están hablando con ella.

PALACIOS. —Hablando con ella, ¿de qué?

PEPITA. —Uno de ellos le está explicando una receta para hacer sopa de cebolla.

PALACIOS. —(*Indignado, dando un puñetazo sobre la mesa.*) ¡Vaya a buscarlos y tráigalos aquí inmediatamente!

IRENE. —¡Pero, papá!

(PEPITA *ha ido a salir, pero se vuelve.*)

PEPITA. —Aquí vienen, señor.

(*Y deja paso a* VIDAL, *que es un hombre de unos setenta años, bajo, insignificante, un poco grueso, y con un*

*aspecto descuidado. Lleva un abrigo que le está corto y
en los bolsillos muchos periódicos y papeles.*)

Vidal. —Hola, buenas tardes.
Palacios. —Buenas tardes... Usted no será Juan, ¿verdad?
Vidal. —No, señor... ¿Por qué iba a ser yo Juan?[29]
Palacios. —Porque estamos esperando a Juan.
Vidal. —¿Ah, sí? No sabía... Pues le he dejado en la cocina, pero
ahora entrará seguramente... (*Y echa un vistazo por la habita-
ción.*) ¡Tiene usted un despacho muy bonito, doctor Palacios!

(*Y se retira de la puerta y va hacia la librería y entra*
Juan, *que es un hombre de unos treinta años, de gesto
simpático, pero humilde, con lo cual parece pedir perdón
por su simpatía. Va vestido de cualquier manera y
peinado de cualquier manera, cuidando solamente de
estar lo más humildemente posible. Y en todos sus
movimientos y hasta en su manera de hablar se ve que
es esa clase de personas que han nacido ya un poco cansa-
das. Sobre el traje lleva un impermeable mojado y una
caña de pescar en la mano y un cesto de pesca colgado al
hombro.* Irene *al verle se levanta y va hacia él.*)

Irene. —¡Juan!
Juan. —Hola, Irene... (*A los demás.*) Buenas tardes... (*Y sigue
hablando con* Irene.) ¿Crees que me debo quitar el imperme-
able? Vengo un poco mojado.
Irene. —Claro que te lo debes quitar... Y deja esa caña también...
Y el cesto. Tome, Pepita... Llévese estas cosas...
Juan. —Como no sabía si tendrías tiempo para recibirme... (*Y le
da la caña y el cesto a* Pepita *y luego se quita el impermeable.*)
Muchas gracias, Pepita... Puede usted dejar estas cosas junto al
impermeable para que no se me olviden después.

---

[29] ¿Por . . . Juan? *Why would I be John?*

PEPITA. —Sí, señor.

JUAN. —Es usted muy amable, Pepita... La cocinera es también muy cariñosa... Ella me dijo cómo se llama usted, pero no me dijo el nombre de ella... ¿Asunción? ¿Carmen? ¿Pilar?

PEPITA. —Flora.

JUAN. —También es bonito... ¡Flora!

IRENE. —Bueno, Pepita, puede retirarse.

PEPITA. —Sí, señorita.

(*Y hace mutis por el foro.* MANRÍQUEZ *y el* DOCTOR PALACIOS *se han puesto en pie al entrar* VIDAL *y después* JUAN, *y no puede disimular sus nervios al ver que* VIDAL *les ha vuelto la espalda y se ha puesto a mirar los libros de la biblioteca y que* JUAN, *antes de saludarles ha tenido la anterior conversación con* PEPITA. IRENE, *que lo nota, se apresura a presentarle.*)

IRENE. —Mira, Juan... Voy a presentarte a mi padre.

JUAN. —¡Ah! (*Y va hacia él y le estrecha la mano.*) Me gusta mucho conocerle a usted, doctor Palacios.

PALACIOS. —Gracias...

IRENE. —Y el doctor Manríquez, su ayudante.

JUAN. —(*Dándole la mano.*) Hola, Manríquez.

MANRÍQUEZ. —Buenas tardes.

IRENE. —¿Y ese señor, Juan?

JUAN. —Es un amigo mío. Lo he encontrado en la calle y me ha acompañado... Pero en cuanto ve libros ya no atiende a nada... Deben disculparle... Es su única afición... ¡Y usted, doctor, debe tener una biblioteca tan interesante!

IRENE. —Siéntate, Juan.

JUAN. —Gracias, Irene.

(*Y todos se sientan. Hay un momento violento por parte de* PALACIOS, IRENE *y* MANRÍQUEZ, *ya que* PALACIOS *no sabe por donde empezar. Sin embargo,* JUAN *y* VIDAL *están*

> *tan tranquilos y se desenvuelven como si estuvieran en su*
> *propia casa.*)

PALACIOS. —Bueno, señor... Pues usted me dirá...

JUAN. —Que yo le diga, ¿qué?[30]

PALACIOS. —¿Cómo que qué?[31] Lo que me tenga que decir...

JUAN. —¡Pero si yo no tengo nada que decirle!

PALACIOS. —¿Para qué ha venido usted entonces?

JUAN. —Tenía deseos de saludarle, simplemente... Irene siempre
me está pidiendo que venga por aquí, pero su casa me pilla muy
lejos de mi barrio[32] y ya sabe usted lo desagradable que resulta
meterse en un autobús con toda esa gente que tiene tanta prisa
para volver a su casa, o para escaparse de ella.

IRENE. —Pero hemos estado juntos esta tarde y no me has dicho
que pensaras venir.

JUAN. —No, si no lo pensaba... Es que he tenido que hacer un
recado por aquí cerca, y al pasar por tu casa se me ha ocurrido
entrar... ¿No os habré molestado, verdad?

IRENE. —No, Juan... Al contrario.

PALACIOS. —¿Y ese amigo suyo, por qué se toma la libertad de
fisgar mis libros?

JUAN. —Le gustan... Déjelo.

VIDAL. —(*Que tiene uno en la mano.*) No tenga miedo de que
se los estropee, doctor Palacios. Sé muy bien el valor de un
libro... Y si piensa que me voy a llevar alguno, sepa usted que
mi biblioteca vale cien veces más que la suya.

(*Se levanta.*)

MANRÍQUEZ. —Eso es una impertinencia, caballero.

VIDAL. —Ya lo sé. Por eso la he dicho. Y sé varias más.

---

[30] Que yo le diga, ¿qué? (*You want me to*) *tell you what?*
[31] ¿Cómo que qué? *What do you mean "what"?*
[32] pero ... barrio *your house takes me far from my neighborhood*

Juan. —Por favor... No deben ustedes enfadarse... (*A* Vidal.)
Anda, Pablo. Estate formalito[33] y sigue leyendo... No olvides
que estamos de visita.

Vidal. —Sí, Juan... Perdona.

(*Y se queda en su sitio.*)

Palacios. —Pues bien, dejemos a su amigo y hablemos de usted...
De manera que viene usted de pescar, ¿no es eso?

Juan. —¿De pescar, con la tarde que hace? ¡Qué tontería! No
crea usted que estoy loco, doctor Palacios... Lo que pasa es que
a un amigo mío le arreglé un asunto y me mandó como regalo
ese equipo de pesca, que, por cierto es buenísimo... Pero como
yo no quiero que me regalen nada, he ido a su casa a de-
volvérselo. En su casa no había nadie, y aquí he venido con
la caña y la cesta... Eso es todo.

Palacios. —Pero una vecina de su casa le dijo a mi hija que había
ido usted a pescar.

Juan. —¡Ah! ¿Me has llamado por teléfono?

Irene. —Sí, quería que vinieses. Y la vecina me dijo eso.

Juan. —Es natural, Irene... A uno le ven salir con una caña de
pescar, y la gente cree va uno de pesca... Son las apariencias,
doctor Palacios... Un hombre de negocios que trabaja catorce
horas diarias durante treinta años, basta que una tarde se siente
cinco minutos en el banco de un parque público para que la
gente que le vea allí piense de él: "He ahí un vago cualquiera."

Palacios. —Y usted, ¿se suele sentar en esos bancos?

Juan. —Cuando hace buen tiempo y no tengo nada que hacer,
me paso a lo mejor toda una tarde viendo cómo juegan los
niños.

Vidal. —Que, por cierto, cada vez saben jugar peor...[34] ¡Qué

---

[33] Estate formalito *Be nice and proper*
[34] cada . . . peor *they play worse all the time*

burros los niños de ahora! ¡Sólo les falta lanzar flechas envenenadas![35] ¿verdad, doctor Palacios?

PALACIOS. —¿Quiere usted callarse?

VIDAL. —Sí, señor; perdone.

(*Se va a dejar su libro y busca otro.*)

PALACIOS. —(*A* JUAN.) Entonces, por lo visto, usted no da ni
golpe,[36] ¿no es eso?

IRENE. —¡Pero, papá!

JUAN. —No debes preocuparte, Irene... Tu padre hace muy bien
en someterme a este brillante interrogatorio... Yo también, si
fuese padre, querría enterarme de quién es el estúpido que
hace perder el tiempo a mi hija y no la deja robar perros por
las esquinas... Puede usted continuar, doctor Palacios...

PALACIOS. —¿Continuar, después de llamar robaperros a mi hija?...

JUAN. —Sí, claro. Y exprésese sin cortedad...[37] Yo no me enfado
nunca.

PALACIOS. —Irene, creo que será mejor que salgas de aquí.

IRENE. —¿Por qué, papá?

PALACIOS. —Nos entenderemos mejor entre hombres solos...

JUAN. —Sí, Irene... Tiene razón tu padre.

PALACIOS. —Antes de que se vayan a la calle, te llamaré para que
le despidas.

IRENE. —Sí, papá... Como quieras... (*A* JUAN.) Adiós, Juan...
Buena suerte... Rezaré, para que Dios me ayude...

JUAN. —Gracias, Irene...

(*Y sale* IRENE *por la puerta del foro.*)

---

[35] Sólo . . . envenenadas *The only thing they haven't done is shoot poisoned arrows*

[36] usted no da ni golpe *you don't do a stroke* (*of work*)

[37] sin cortedad *without reservation or timidity*

MANRÍQUEZ.—(*A* PALACIOS.) Y si usted me permite que yo también me vaya... Creo que mi presencia aquí no tiene objeto...

PALACIOS.—Como usted quiera, Manríquez...

MANRÍQUEZ.—(*A* JUAN, *seco.*) Buenas tardes...

JUAN.—Adiós...

> (Y MANRÍQUEZ *hace mutis por la puerta del laboratorio.* PALACIOS *se encara con* JUAN.)

PALACIOS.—Y ahora hablemos con claridad, amigo mío... ¿Usted qué hace? ¿En qué trabaja?

JUAN.—No, no trabajo en nada, profesor... Comprenderá usted que si yo trabajase y fuera ambicioso y llegara a ser algo, no tendría apenas amigos, como le debe pasar a usted y posiblemente a su ayudante, el señor Manríquez... Ahora los tengo y me quieren, porque saben que no hago daño a nadie, ni ambiciono nada, ni pongo zancadillas, ni pretendo ser algo más de lo que soy... Un hombre que se llama Juan...

PALACIOS.—¿Y qué saca usted con tener amigos? ¿Qué le dan a usted los amigos?

JUAN.—No me dan nada, pero tengo amigos y charlo con ellos y así lo paso bien... ¿Usted ha sido náufrago en alguna ocasión?

VIDAL.—¡Eso! ¡Conteste!

PALACIOS.—¿Y para qué iba a ser yo un náufrago? ¿A qué viene esa tontería?[38]

JUAN.—Porque si usted hubiera sido un náufrago, y se hubiese encontrado solo, en una balsa, en medio del mar, hubiera dado la vida entera por tropezar con un amigo... Y me levanto todas las mañanas pensando que soy un náufrago... Y busco amigos y los encuentro... Casi todos, en esta ciudad son amigos míos.

PALACIOS.—Pero esta ciudad no es un pueblo...

JUAN.—Eso depende de la vida que se haga y de la cordialidad que se tenga con la gente... Usted conocerá de vista a miles de

---

[38] ¿A qué . . . tontería? *Why ask such a foolish question?*

personas que ve diariamente por la calle, y si no las saluda, es porque no se las han presentado... Yo no espero esa ridícula presentación. Las saludo y hablo con ellas, porque todos, en el fondo, estamos deseando ser amigos para sentirnos menos solos... ¿A usted no le entristece la soledad?

Palacios. —¿La soledad? En este momento daría una fortuna por obtenerla.

Juan. —Muchas gracias... Pero con ese carácter que tiene la obtendrá fácilmente y, además, gratis... Pero dejemos de hablar de mí y hablemos de sus experimentos, doctor Palacios. Mi amigo y yo tenemos mucha curiosidad por conocer las ventajas de su nueva droga... (*A* Vidal.) ¿No es verdad, Pablo?

Vidal. —Desde luego...

(*Por la puerta del laboratorio entra* Cecilia, *que se dirige al* doctor Palacios.)

Cecilia. —Perdón, doctor... No tengo más remedio que molestarle... Es algo urgente.

(Juan, *al verla, se levanta alegre.*)

Juan. —¡Cecilia!

Cecilia. —(*Al verle, va también alegre hacia él. Se estrechan las manos.*) ¡Juan!

Juan. —¿Qué haces aquí?

Cecilia. —Trabajo con el doctor.

Juan. —No lo sabía... Llevaba tanto tiempo sin saber de ti...[39]

Cecilia. —¡Qué alegría me da verte, Juan!

Juan. —A mí también, Cecilia... ¿Y tu novio?

Cecilia. —¡Bah!... Como siempre. Ya hablaremos.

Juan. —¿Y tu madre?

Cecilia. —Muy agradecida por lo que hiciste por ella.

---

[39] Llevaba tanto ... ti. *I had not heard about you in such a long time.*

JUAN. —¿Le sirvió la recomendación?

CECILIA. —Tus recomendaciones siempre sirven, Juan... La recibió el Director General personalmente... Le habló muy bien de ti. Se puso a su disposición para todo lo que necesitara.

PALACIOS. —(*Asombrado e indignado por esta familiaridad.*) Bueno, señorita... ¿Puede saberse qué es lo que quería?

CECILIA. —Perdone, doctor... Pero como he encontrado a Juan...

PALACIOS. —Acabe...[40] ¿Para qué ha entrado?

CECILIA. —El hombre de los perros está indignado porque no le recibe usted... Y dice que como le entretenga más, va a dar un escándalo.[41]

PALACIOS. —¿Un escándalo ese vagabundo? ¿Y por qué no habla con mi ayudante?

CECILIA. —Es con usted con quien quiere hablar...

PALACIOS. —Bueno, pues que entre y no dé más la lata.[42]

CECILIA. —Sí, doctor... Adiós, Juan...

JUAN. —Adiós, Cecilia...

(*Mutis de* CECILIA *por la puerta del laboratorio.*)

JUAN. —Si está usted ocupado, doctor, y prefiere que nos marchemos... Podemos volver cualquier otro día.

PALACIOS. —Nada de marcharse... Todavía nos quedan muchas cosas por aclarar... Yo con el de los perros termino en seguida...[43]

JUAN. —Muy bien... Como usted quiera...

(*Y se acerca a* VIDAL, *que sigue viendo libros.* PALACIOS *va hacia la puerta del laboratorio.*)

---

[40] Acabe. *Stop.*
[41] va a dar un escándalo *he's going to raise the dickens*
[42] y no dé más la lata *and don't annoy me anymore*
[43] Yo . . . seguida. *I'll finish this business about the dogs right away.*

Palacios. —Vamos. Pase usted...

(*Y entra* Sebastián *con los perros y se dirige a* Palacios, *ofendido.*)

Sebastián. —¡Su tiempo, caballero, es tan sagrado como el mío! Y todavía no ha nacido nadie que me haga a mí esperar en una antesala... ¿Lo entiende, o no?

Palacios. —Pero, ¿puede saberse qué es lo que quiere?

Sebastián. —Quiero setenta duros por cada perro, en lugar de las doscientas pesetas que me han pagado...

Manríquez. —Convinimos ese precio al principio...

Sebastián. —Pero ahora quiero más, porque hace mal tiempo y llueve y los perros no salen de sus casas y el asunto se pone más difícil.

(Juan, *que estaba de espaldas, curioseando por la biblioteca, se vuelve.*)

Juan. —No tienes razón en exigir más dinero, Sebastián.

(Sebastián *se queda sorprendido al verle, y va hacia él, gozoso.*)

Sebastián. —¡Juan! Pero, ¿cómo es esto? No sabía que tú conocías al doctor.

Juan. —Somos muy amigos, Sebastián... Y no debes emplear ese tono con él. Es un hombre de ciencia y debes respetarle.

Palacios. —(*Con asombro por este nuevo conocimiento.*) ¿Pero también conoce usted a este descarado?

Sebastián. —¡Yo no soy ningún descarado, doctor Palacios!

Juan. —¿Quieres callarte de una vez?

Sebastián. —Es que robar perros es muy complicado... Y si un día me pescan...

JUAN. —Ten en cuenta que sólo con perros puede hacer el doctor
sus experimentos y que no le bastan los que le proporcionan los
Institutos Oficiales... Y piensa también que gracias a esos perros
que tú le buscas, el mundo entero hablará con admiración de
nuestro país... ¿Tú no sabes la droga que ha inventado el
doctor?

SEBASTIÁN. —Ni idea, Juan.

JUAN. —Pues vete esta noche por el bar y te lo explicaré detalladamente.

SEBASTIÁN. —¿Y jugamos un tute de paso?[44]

JUAN. —Todos los que quieras... Y ahora dale la mano al doctor
y pídele perdón.

SEBASTIÁN. —Sí, Juan... Lo que tú me mandes... (*Y va al* DOCTOR
PALACIOS *y le da la mano.*) Perdone usted lo que le he dicho
antes, pero no sabía que era usted amigo de Juan... Ahora me
tiene a su disposición para todo lo que quiera... Le dejaré los
perros otra vez...

PALACIOS. —Gracias.

SEBASTIÁN. —Hasta luego, Juan.

JUAN. —Adiós.

(*Y* SEBASTIÁN *hace mutis por donde entró.*)

JUAN. —¡Tiene un poco de mal genio, pero es un gran muchacho
este Sebastián!

PALACIOS. —Entre ser un náufrago y tener esa clase de amigos que
usted tiene, yo preferiría ahogarme... ¿Qué clase de tabernas
frecuenta usted, señor mío, para conseguir esas relaciones?

JUAN. —Si vamos a tener una conversación de amigos, sería mejor
que fuese usted un poco más cordial, doctor Palacios.

PALACIOS. —No se trata de una conversación de amigos, sino de
negocios.

---

[44] *¿Y jugamos . . . paso? And shall we play a game of "tute" while
we're at it?*

JUAN. —¡Ah! ¿Quiere usted hablar conmigo de negocios?

PALACIOS. —Sí, señor.

JUAN. —Entonces, si le parece,[45] vamos a un café... Estas costumbres americanas de hablar de negocios en un despacho, me parecen desastrosas... No hay cordialidad y, sobre todo, no hay igualdad... El que está detrás de su mesa de despacho, como detrás de un parapeto, es el que lleva más probabilidades de ganar... Sólo en un café, que es tierra de nadie, es donde las fuerzas se igualan y los negocios salen más limpios.

VIDAL. —Muy bien dicho... Yo creo que nos debíamos ir a un café... Aquí en este despacho hay una atmósfera muy viciada.

PALACIOS. —Usted haga el favor de callarse.

VIDAL. —Sí, señor.

PALACIOS. —Y usted me va a decir ahora mismo cuáles son sus intenciones con respecto a mi hija.

JUAN. —No tengo intenciones, doctor...

PALACIOS. —Pero usted quiere casarse con Irene...

JUAN. —No, no... Perdone. Yo no me quiero casar, ni con Irene ni con nadie. Yo no tengo dinero para eso.

PALACIOS. —Pero ella dice que quiere casarse con usted.

JUAN. —¡Cosas de mujeres! Nos hemos caído bien los dos[46] y lo pasamos divinamente charlando y estando un rato juntos... Pero de eso a casarnos... Claro está que Irene a mí me gusta... Pero yo no puedo permitirme esos lujos...

PALACIOS. —Pero usted, ¿qué demonios hace? ¿Qué quiere? ¿Cómo vive?

JUAN. —Yo vivo en un pequeño piso, frente al mar. Desde mi balcón se ve el puerto... Veo salir los buques para América, con gentes que van allí a luchar, a trabajar, a conocer nuevas personas y nuevas costumbres... Todos van movidos por la ambición y por el deseo de ser algo más de lo que son... Y yo sonrío cuando veo salir esos barcos, y me desperezo feliz en mi buta-

---

[45] si le parece *if you like*
[46] Nos . . . dos *We both get along well*

cón, como un gato, y siento la satisfacción enorme de quedarme, de no moverme, de estarme quieto en donde nací.

PALACIOS. —Es usted entonces como las vacas que ven pasar los trenes.

JUAN. —Sí, eso es... Pero lo mismo que las vacas, soy útil a mis semejantes, sin que se me note;[47] sin ir corriendo por ahí como un loco con una cartera bajo el brazo, haciendo ver que estoy atareadísimo... ¿Se figura a una vaca repartiendo su propria leche? El profesor Vidal, que ha hecho muchos estudios sobre las vacas, se lo podrá explicar mejor que yo.

PALACIOS. —(*Atónito, mirando a* VIDAL *que está sentado cómodamente leyendo un libro.*) ¿Cómo dice usted? ¿Que ese amigo suyo es el profesor Vidal?

JUAN. —Sí, claro.

PALACIOS. —¿El profesor Pablo Vidal?

VIDAL. —¿Pero a qué vienen esos aspavientos? ¿Por qué no puedo ser yo Pablo Vidal?

PALACIOS. —¿Y cómo no me lo ha presentado usted, Juan?

VIDAL. —Yo no quiero ser presentado a nadie, señor mío. Tengo ya mi cupo de amigos cerrado hasta noviembre.[48]

PALACIOS. —¡Pero es que no hay nadie a quien yo admire más que a usted! ¡Pero si este encuentro parece imposible! He leído todos sus trabajos, profesor... Claro que esto no ha de sorprenderle, puesto que el mundo entero los ha leído...

VIDAL. —Bueno, no se ponga así... No tiene importancia... Yo publiqué mis libros para que se leyeran...

PALACIOS. —¿Y cómo dejó usted de escribir?

VIDAL. —Pues, supongo que lo mismo que usted dejaría de jugar al aro cuando era niño... Porque me aburrí y empecé a hacer otras cosas.

PALACIOS. —¿Qué cosas, profesor?

---

[47] sin que se me note *without anyone noticing it*
[48] Tengo . . . noviembre. *I've already reached my quota of friends until November.*

VIDAL. —Jugar al dominó con Juan... ¿Le parece a usted poco?

PALACIOS. —¿Pero cómo puede usted decir eso? ¿Y aquellos estudios asombrosos sobre bioquímica?...

VIDAL. —Cuando yo era el primero que los hacía resultaba divertido hacerlo... Ahora que ya hay tres o cuatro que me siguen y lo hacen igual, ¿para qué me voy a molestar yo?

PALACIOS. —Sin embargo, el mundo necesita hombres como usted... Todos debemos sacrificarnos por la humanidad... Yo, ahora, me dedico...

VIDAL. —Sé perfectamente a lo que se dedica, doctor Palacios... Conozco todas sus experiencias, y puedo asegurarle que es usted uno de los pocos hombres inteligentes del momento actual... Pero su nueva droga no puede tener éxitos.

JUAN. —¿Para qué quiere usted que los hombres no duerman?

PALACIOS. —No es que yo no quiera... Es que no tendrán necesidad de dormir... Con mi droga nueva, las horas y horas, y días y días que ahora se pierden durmiendo, ya no habrá que perderlas. El hombre no tendrá necesidad de reparar sus fuerzas con el descanso, y podrá permanecer despierto toda su vida, sin perjuicio alguno para su organismo.

VIDAL. —O sea, que si calculamos que la vida de un hombre, por término medio, es ahora de sesenta años, en el porvenir y gracias a sus trabajos, el hombre vivirá ciento veinte años, puesto que la mitad de la vida la perdía durmiendo.

PALACIOS. —Exactamente... Tengo perros en mi laboratorio que llevan sin dormir cerca de seis meses, sin la menor sensación de fatiga, de debilidad, de nerviosismo...

JUAN. —¿Pero usted no comprende que eso es monstruoso?... Los perros necesitan dormir para soñar con un hueso.

PALACIOS. —Aquí tienen huesos de sobra.

JUAN. —Pero son huesos de verdad, y ellos necesitan soñar con huesos fantásticos, con huesos que vuelan entre nubes...

PALACIOS. —No estamos hablando de los perros, sino de los hombres. Y ese tiempo que ahora se pierde en dormir, se empleará en hacer cosas útiles.

VIDAL. —La humanidad es mala y hace cosas malas, Palacios...
Mientras los hombres duermen se están quietos y no hacen
daño a nadie... Pero con ese descubrimiento, los hombres esta-
rán haciendo daño sin descanso.

JUAN. —¿No se ha dado usted cuenta que los hombres buenos son
los que más duermen? En cambio, los madrugadores, los
trasnochadores, los noctámbulos, no hacen más que inventar
perrerías para fastidiar al prójimo.

PALACIOS. —¿Por qué sabe usted de todo esto?[49] ¿Por qué opina?

VIDAL. —Él puede opinar también... Es médico como nosotros.

PALACIOS. —¿Que usted es médico?

JUAN. —Sí; pero no ejerzo.

PALACIOS. —¿Por qué?

JUAN. —¡Qué sé yo! ¡Cosas! Estudié mucho y me privé de todo
para terminar la carrera... Le tenía afición... Pero después...

VIDAL. —Fue el número uno de su curso... Los profesores habla-
ban de él como de un prodigio... Al año de licenciarse, tuvo
centenares de clientes, dinero, posición...

PALACIOS. —¿Y cómo entonces, ahora?...

JUAN. —Sería muy largo de explicar.

PALACIOS. —No irá usted a decirme que dejó la medicina, porque
algún enfermo determinado se le murió...

JUAN. —No, no, al contrario... Dejé la medicina porque a ese
enfermo determinado logré salvarle... Pero no me gusta hablar
de esto, doctor Palacios. Lo mejor será que nos vayamos.

PALACIOS. —¡Pero si no hemos hablado de lo más importante!

VIDAL. —Es que aquí es muy difícil hablar... ¿Por qué no nos
vamos al café?

PALACIOS. —¿Yo al café?

VIDAL. —Tenemos allí una peña de gentes simpática... Y además,
te conviene salir de tu torre de marfil, y perdóname que te
hable de tú.

---

[49] ¿Por qué . . . esto? *Why are you butting into all this?*

PALACIOS. —Es para mí un honor, doctor Vidal... Pero yo no salgo nunca de casa.

JUAN. —Allí podremos hablar ampliamente de sus experimentos... No sólo el doctor Vidal y yo le admiramos... En nuestro grupo, hay gentes que hablan de usted con veneración.

PALACIOS. —¡Ah! ¿Sí?

JUAN. —No sabe usted la alegría que les dará poder conocerle personalmente.

PALACIOS. —Pero es que yo, ahora... Además, mi hija está esperando el resultado de esta conversación.

JUAN. —Bueno... Yo me quedaré otro rato y hablaré con ella... me reuniré con ustedes en el café.

VIDAL. —¿Te quitas la bata?

PALACIOS. —(*Haciéndolo.*) Sí. Pero tengo que pedir una chaqueta.

VIDAL. —(*Asomándose al pasillo.*) ¡Pepita! ¡Pepita!

PALACIOS. —Entonces, Vidal, ¿tú crees que mi nueva droga?...

VIDAL. —Tu nueva droga, en América, puede que tenga éxito... Pero lo que es en Europa...[50]

(*Aparece* PEPITA *por el foro.*)

PEPITA. —¿Llamaban los señores?

PALACIOS. —Sí, Pepita... Tráeme mi chaqueta y mi impermeable, y dile a la señorita que venga.

PEPITA. —Sí, señor.

PALACIOS. —Yo he pensado que, para Europa, se debía emplear una dosis menos fuerte... Esto es, que el hombre, sólo con dos horas de sueño, tuviera bastante.

VIDAL. —Sí, no está mal pensado... Pero si pudiera aumentarlo en seis...

PALACIOS. —¿Tanto?

VIDAL. —¿Y por qué no? Anda, vamos saliendo... Ya hablaremos.

---

[50] Pero . . . Europa. *But as for Europe.*

PALACIOS. —Pero, ¿y mi chaqueta?

VIDAL. —Ya te la pondrás por el pasillo.

PALACIOS. —Adiós, Juan... No tarde usted mucho. Le esperamos en el café... Y a ver si hablamos del asunto de mi hija...

JUAN. —Sí, naturalmente... Pierda usted cuidado.[51]

> (Y PALACIOS *hace mutis con* VIDAL *por la puerta del foro.* JUAN *queda solo. Enciende un pitillo y se sienta en una butaca. Entra* IRENE.)

IRENE. —¡Juan!

JUAN. —Hola, Irene.

IRENE. —¿Es verdad que se ha ido mi padre?

JUAN. —Sí. Al café con mi amigo... Me esperan allí.

IRENE. —¡Pero eso es imposible! ¡Mi padre jamás ha puesto los pies en un café!

JUAN. —No tenía unos amigos como nosotros... Ahora ya vendrá todas las tardes.

IRENE. —Entonces... ¿le has conquistado?

JUAN. —Es muy simpático.

IRENE. —¿Y has hablado con él de algo?

JUAN. —Sí, naturalmente... De muchas cosas.

IRENE. —¿De lo nuestro?

JUAN. —¿Qué es lo nuestro?

IRENE. —De casarnos, Juan.

JUAN. —Sí, hemos hablado; pero yo no me caso contigo.

IRENE. —¿Por qué?

JUAN. —No puedo casarme, compréndelo. Tú tienes dinero... Una casa puesta con lujo...[52] Un coche con chófer... Yo no tengo fortuna para sostener este plan de vida.

IRENE. —Mi padre nos ayudará.

JUAN. —No digas disparates... Pensarías que me he casado por

---

[51] Pierda usted cuidado. *Don't worry.*
[52] Una casa . . . lujo. *A luxuriously furnished house.*

el interés...[53] Yo no admitiría de ti ni de tu padre ni un sólo céntimo.

IRENE. —Bueno... me parece muy bien... Viviré como tú vivas...

JUAN. —No te acostumbrarías, Irene. Además, cuando yo era joven, gané algún dinero y vivo de él, estirándolo mucho... Tal como vivo y según mis cálculos, ese dinero podrá durarme hasta que cumpla ochenta años... Repartiéndolo contigo, sólo me alcanzaría hasta los cincuenta... Perdería por ti casi treinta de vida.

IRENE. —(*Abrazándole.*) ¡Yo la perdería toda por ti!

JUAN. —Eso piensas ahora... Pero más tarde...

IRENE. —Yo te quiero, Juan.

JUAN. —¿Y yo a ti no?

IRENE. —¿Por qué, entonces, no haces algo por mí? ¿Por qué no pones un poco de tu parte?[54]

JUAN. —A veces lo pienso, pero no me encuentro con fuerzas para ello... Déjame que viva como vivo.

IRENE. —Tienes que luchar para vencer esa actitud tuya... Esa absurda manera de pensar...

JUAN. —¿Luchar para algo? ¿Pero tú crees que merece la pena? No, Irene. Es mejor que rompamos esto nuestro de una manera definitiva.[55]

IRENE. —¡No puedes hacer eso, Juan!

JUAN. —Sí... Y debo hacerlo antes que la cosa se complique más... Yo lo siento mucho, porque me gustas,[56] porque te quiero, porque me había acostumbrado a pasear contigo por el parque y junto a los barcos del muelle y a charlar de mil cosas... Pero es preferible dejarlo y ésta será la última vez que nos veamos... Adiós, Irene... Me voy al café.

---

[53] Pensarías . . . interés. *You might think I married for money.*

[54] ¿Por qué . . . parte? *Why don't you contribute a little?*

[55] Es mejor . . . definitiva. *It's best we break up this relationship of ours once and for all.*

[56] porque me gustas *because I like you*

Irene. —¡Pero, Juan!

(*Por el foro aparece* Palacios *con el impermeable puesto
y con el cesto y la caña de* Juan.)

Palacios. —Vamos, Juan... Toma esto antes que se te olvide...
Está lloviendo mucho y te estamos esperando en el coche para
ir los tres juntos al café. El profesor Vidal no quiere separarse
de ti.
Juan. —(*Cogiendo la caña y el cesto.*) Gracias, profesor.
Palacios. —No te importará que te tutee, ¿verdad?
Juan. —Me gusta mucho.
Palacios. —Bueno, adiós, hijita... Hasta después. Anda, Juan...
Vamos...

(*Y le agarra del brazo.* Juan *desde la puerta se vuelve
a* Irene.)

Juan. —Adiós, robaperros.
Irene. —Adiós, Juan.

(*Y sonríe gozosa viéndoles marchar a los dos juntos.*)

TELÓN

Cuadro Segundo

La misma decoración del cuadro anterior. Son las doce de la
mañana y hace buen tiempo. El sol entra por el ventanal.

(*Al levantarse el telón, vemos al* doctor Palacios *que
pasea solo por la habitación dando muestras de nerviosismo. Va vestido de calle, con el sombrero puesto.
Llama al timbre. Aparece* Pepita *por la puerta del foro.*)

Pepita. —¿Llamaba el señor?

Palacios. —¿Le ha dicho usted a la señorita que quiero verla?

Pepita. —Sí, señor.

Palacios. —¿Y por qué no la veo?

Pepita. —Está encerrada en su cuarto, señor, y no quiere salir.

Palacios. —Pues vuelva usted a llamarla. Y dígale que tengo precisión absoluta de hablar con ella antes de marcharme.

Pepita. —Se lo dije antes, señor... Y me preguntó que adónde iba usted.

Palacios. —¿Y usted qué le ha contestado?

Pepita. —Que al Congo belga, señor... Lo que usted me dijo.

Palacios. —Muy bien, Pepita... Y ahora dígale que como continúe en esa actitud me quedaré en el Congo belga toda la vida y no volveré a aparecer por casa...[57] ¿Ha comprendido?

Pepita. —Sí, señor.

Palacios. —Pues, ande; dése prisa.

(Y Pepita *hace mutis por la puerta del foro. El* doctor Palacios *va hacia el ventanal y levanta un visillo y ve gozoso el sol que entra.* Manríquez, *también de calle y con una gran cartera de documentos, aparece por la puerta del laboratorio.*)

Manríquez. —Buenos días, profesor.

Palacios. —Hola, hijo. Buenos días.

Manríquez. —¿Va usted a salir?

Palacios. —Sí. Tengo que hacer.[58] ¿Quería usted algo?

Manríquez. —Vengo de la imprenta, profesor. Traigo las pruebas de la Memoria para corregir...

Palacios. —Encárguese usted de ello. Yo estoy muy ocupado.

Manríquez. —Sí, doctor. (Y *mientras habla abre la cartera de la que saca unas galeradas.*) Vea, de todos modos, los títulos de la cubierta y el tipo de letra en que va su nombre.

---

[57] y no volveré . . . casa *and I will not come back home again*

[58] Tengo que hacer. *I have things to do.*

PALACIOS. —(*Echando un vistazo.*) Sí, muy bien... Está todo muy bien.

MANRÍQUEZ. —¿Le pasa algo, profesor? Le noto preocupado...

PALACIOS. —Sí, hijo... Estoy preocupadísimo.

MANRÍQUEZ. —¿Acaso por la carta que recibió ayer de Filadelfia?

PALACIOS. —Es un motivo más... En la carta me dicen que ya podemos ir preparando el viaje y que varios laboratorios se disputan la patente de la nueva droga. Por lo visto allí, que es donde se toman más soporíferos para dormir, ahora resulta que lo que quieren es no dormir nada... Claro que para dormir en esas horribles camas que se esconden de día dentro de un armario, es preferible pasarse la noche dando vueltas por el pasillo.

MANRÍQUEZ. —No irá a hacer propaganda en contra sobre su descubrimiento,[59] doctor.

PALACIOS. —Yo no hago propaganda en contra de nada... Pero desde luego no hay quien entienda al mundo.

MANRÍQUEZ. —Entonces, ¿nos iremos pronto?

PALACIOS. —En cuanto tengamos lista la Memoria con los últimos datos.

MANRÍQUEZ. —(*Titubeando.*) Yo quisiera pedirle, doctor...

PALACIOS. —¿El qué?

MANRÍQUEZ. —Hemos trabajado juntos en todo esto, y aunque, naturalmente, usted lo ha hecho todo... ya que ha tenido la generosidad de ofrecerme una participación en los posibles beneficios industriales... yo quisiera también...

PALACIOS. —Vamos, termine.

MANRÍQUEZ. —Si mi nombre pudiera figurar en esta Memoria... Comprenda usted lo que esto significaría para mí profesionalmente...

PALACIOS. —¡Ah! ¿Quiere usted poner su nombre junto al mío?

MANRÍQUEZ. —Si a usted no le importase, profesor...

PALACIOS. —No, no... qué me va a importar... Desde luego debe

---

[59] No irá . . . descubrimiento *You're not going to make counter-propaganda on your discovery*

poner su nombre... Pues no faltaba más... Como si quiere usted poner también las señas de su casa.[60]

MANRÍQUEZ. —Si es que le he molestado...

PALACIOS. —Nada de eso, hijo... A mí lo que me molesta es que esta condenada niña... (*Y va hacia la puerta del foro y grita.*) ¡Pepa! ¡Pepita!

(*Y quien aparece por esta puerta es* IRENE, *con un sencillo vestido de mañana. Viene seria y grave.*)

IRENE. —¿Quieres algo, papá?

PALACIOS. —Quería verte desde hace media hora.[61]

IRENE. —Pues ya estoy aquí.

PALACIOS. —¿No le importa a usted marcharse un momento, Manríquez?

MANRÍQUEZ. —Claro que no, doctor.

PALACIOS. —Pues cierre la puerta al salir.

MANRÍQUEZ. —Sí... Adiós. Irene, buenos días.

IRENE. —Adiós, Emilio.

(*Y* MANRÍQUEZ *hace mutis por la puerta del laboratorio, cuya puerta cierra.*)

PALACIOS. —Bueno, hija mía, siéntate.

IRENE. —¿Para qué?

PALACIOS. —¡Para que me escuches, diablo!

IRENE. —No tengo que volverte a escuchar, porque sé todo lo que me vas a decir y no conseguirás nada.

PALACIOS. —¿Que no voy a conseguir nada?

IRENE. —(*Enérgica.*) No, papá... He sido siempre para ti una buena hija. Te he respetado como padre y como sabio. He procurado que en esta casa dedicada al trabajo y a la investigación,

---

[60] Como si . . . casa. *You might even want to put down your address.*
[61] Quería . . . hora. *I've been wanting to see you for a half hour.*

no faltasen nunca los perros que te eran necesarios. He compla-
cido, por tanto, todos tus deseos... Pero óyelo bien... Esto que
quieres, no. Será inútil que insistas... Nunca más volveré a ver
a Juan.

PALACIOS. —¿Pero me quieres explicar por qué?

IRENE. —Porque desde el día que estuvo aquí y se fue contigo al
café, ya no le he vuelto a ver el pelo... Y ya hace de esto nueve
días.[62]

PALACIOS. —Estará ocupado con cualquier cosa.[63]

IRENE. —¿Ocupado Juan?

PALACIOS. —No tendrá tiempo para venir a verte.

IRENE. —¿Pero cómo no va a tener tiempo, si no tiene otra cosa
que hacer?

PALACIOS. —Estará pescando en su barca... Y ya sabes que la pesca
le da mucho trabajo.

IRENE. —¿Pero me vas a decir ahora que pescar panchos con una
caña es un trabajo?

PALACIOS. —No es un trabajo, pero es una distracción... Y también
la gente necesita distraerse un poco, qué caramba.[64]

IRENE. —Es inútil que insistas, papá... Juan y yo hemos terminado
definitivamente.

PALACIOS. —¡Pero no puedes tener ese amor propio, Irene! ¿No
comprendes, además, que estando enfadada con Juan, resulta
feo que yo vaya al café donde se reúne con los amigos?

IRENE. —¿Y para qué quieres ir a ese café?

PALACIOS. —Porque me gustó mucho el día que estuve. Y porque
cambié impresiones con el doctor Vidal, que me han sido muy
útiles... Y porque otro amigo de Juan, que es viajante de comercio, es el hombre que más entiende de hígado. Y resulta

---

[62] ya no le he vuelto . . . días *I haven't seen hide nor hair of him . . .
And this has been going on for nine days*

[63] Estará . . . cosa. *He must be busy with something or other.*

[64] qué caramba *for heaven's sake*

que me dió unas hierbas que me han sentado divinamente.[65] ¿Ha vuelto a dolerme el hígado desde aquella tarde que fuí al café?

IRENE. —No, papá.

PALACIOS. —Pues ya ves... Y todo porque el viajante de comercio sacó unas hierbas que llevaba en el bolsillo y mandó que se las cocieran y me tomé aquella infusión y llevo unos días como nuevo...[66] Y quiero ver a Juan y a Vidal que son muy amigos míos y que saben de la vida la mar de cosas.

IRENE. —Pues vete tú al café y habla con quien te dé la gana. Pero yo no puedo transigir con este desprecio de Juan.

PALACIOS. —Las mujeres sois unas pesadas y siempre lo estropeáis todo.

IRENE. —¿Pero qué quieres que haga, si no me hace caso?

PALACIOS. —Pues quiero que me dejes ir a buscarle y que lo traiga aquí y que tú trates de conseguir que se case contigo. Es médico... Es inteligente... Puede trabajar conmigo... A mí este Manríquez me parece que no juega limpio.

IRENE. —Antes era una maravilla para ti.

PALACIOS. —Pero es que antes yo no conocía a nadie... Y en cambio, ahora conozco a Juan.

IRENE. —No quiere trabajar de médico, ni de nada.

PALACIOS. —Pues convéncele... Utiliza las armas que empleáis las mujeres... Y si no, entonces, ¿para qué vais tanto a la peluquería?

IRENE. —Es inútil tratar de convencerle, papá. Dice además que no admitiría un céntimo tuyo... que tendré que vivir como él vive.

PALACIOS. —(*Se acerca a ella.*) ¿Y no te gustaría? Vamos, contesta.

---

[65] que me han sentado divinamente *that have helped me divinely*
[66] y llevo . . . nuevo *and for several days now I've been feeling like new*

IRENE. —(*Echándole los brazos al cuello, emocionada.*) Sería mi mayor felicidad.

PALACIOS. —Pues ahora mismo voy a buscarle. Tengo el coche en la puerta y Juan me está esperando.

IRENE. —¿Que te espera Juan?

PALACIOS. —Sí. He hablado con Luisa.

IRENE. —¿Quién es Luisa?

PALACIOS. —¿Quién quiere que sea? Esa vecina suya que tiene teléfono y le da los recados... Muy simpática por cierto... Es modista, ¿sabes? Una gran modista... Y ella lo ha arreglado todo en seguida... ¿Estás contenta?

IRENE. —(*Le mira sonriendo.*) Dime una cosa, papá... Ayer me dijiste que ibas a una conferencia de cirugía en la Facultad...

PALACIOS. —Sí, claro... Una conferencia muy importante, por cierto.

IRENE. —Pero donde fuiste fue al café.

PALACIOS. —Bueno, es que pasé por allí y entré un momento.

IRENE. —Y hace tres días, en lugar de ir a la Cátedra...

PALACIOS. —Sí, hija... Hice novillos. Pero que no se entere Manríquez.[67]

IRENE. —Y estos dos días has estado con Juan...

PALACIOS. —Sí. Y te quiere, ¿sabes? Me habla de ti... Por eso voy a buscarle.

IRENE. —(*Emocionada, le da un beso.*) Gracias, papá.

PALACIOS. —Vuelvo en seguida.

(*Cuando el* DOCTOR PALACIOS *va a salir por la puerta del foro,* MANRÍQUEZ *abre la puerta del laboratorio.*)

MANRÍQUEZ. —Perdón, doctor...

PALACIOS. —¿Qué quería usted? Tengo prisa.

MANRÍQUEZ. —No sabía que se fuera a marchar... Era para consultarle una corrección que debe hacerse en la Memoria...

---

[67] Pero . . . Manríquez. *But don't let Manríquez find out.*

Palacios. —Ya me la consultará después... Me están esperando en la Universidad para un asunto urgente... En seguida vuelvo.

(*Y hace mutis.*)

Manríquez. —¿Qué tiene que hacer tu padre en la Universidad?

Irene. —Nada. No va a la Universidad.

Manríquez. —¿A dónde va entonces?

Irene. —A la calle. A buscar a Juan.

Manríquez. —¿Otra vez Juan?

Irene. —¡Siempre Juan, Manríquez!

Manríquez. —Irene... quiero creer que lo tuyo[68] con ese hombre es sólo un capricho pasajero... No es posible que una mujer como tú haya llegado a esto...

Irene. —¿Llegar a qué? ¿A estar contenta como estoy ahora? ¿A estar triste como estaba hace diez minutos? Esto es vivir, Emilio. No se puede llegar a más...

Manríquez. —Son ya muchos años los que llevo tratándote y queriéndote...[69] Tu educación, tus costumbres, tus ambiciones también, que has compartido con nosotros, no se acoplarán nunca con la manera de vivir de ese hombre. Quizá ahora, como contraste con nuestra vida de trabajo, te haya deslumbrado... Pero después...

Irene. —Lo que venga después no importa nada.

Manríquez. —Importa mucho, Irene... El después es lo único que importa... Y en cambio, si lo nuestro hubiera seguido...

Irene. —No llegó a empezar.[70]

Manríquez. —Había algo.

Irene. —Éramos camaradas.

Manríquez. —Llámalo como quieras, pero algo nos unía. Y ahora, tu padre me permite que figure como colaborador en su

---

[68] que lo tuyo *that your relationship*

[69] Son ya . . . queriéndote. *For many years now I have known you and loved you.*

[70] No llegó a empezar. *It never got started.*

descubrimiento... Llevo parte en sus beneficios... Pronto, en Filadelfia, no sólo se pronunciará con admiración el nombre de tu padre, sino también el mío.

IRENE. —¡Qué tontería! ¿Y para qué quieres que se pronuncie tu nombre en Filadelfia, tan lejos como está?

MANRÍQUEZ. —Porque después se pronunciará en todo el mundo... Tendré dinero, prestigio, fama, gloria... Y entonces, Irene...

IRENE. —Sí, claro... Entonces tendrás necesidad de que todas esas cosas—dinero, prestigio, fama y gloria—te las distribuya en los armarios una mujercita de su casa para que no cojan polvo, ¿no es eso?

MANRÍQUEZ. —No permito que te burles de mí.

IRENE. —¿Pero no ves que es inútil que insistas? Eres de esa clase de hombres que todavía se enfadan con las mujeres por cualquier motivo... Incluso que se enfadan cuando una mujer llega tarde a una cita... Juan no se enfada nunca.

MANRÍQUEZ. —Porque a esa cita él será el último en llegar.

IRENE. —No. Simplemente porque no llega... ¿Verdad que es divertido?

(*Por la puerta del foro aparece* PEPITA *muy contenta.*)

PEPITA. —¡Señorita! ¡Es él!

IRENE. —¿Quién?

PEPITA. —Pues él... El señorito Juan.

IRENE. —¿Pero viene solo o lo ha traído el señor?

PEPITA. —Viene solo.

IRENE. —Hágale pasar, Pepita... Pero, por favor, que no se entretenga en la cocina.

PEPITA. —No, señorita... Voy a decírselo.

(*Y hace mutis por donde entró.*)

MANRÍQUEZ. —Creo que no debes recibir a ese hombre tú sola.

IRENE. —No estaré sola... Estaré con él.

MANRÍQUEZ. —Pero no estando tu padre en casa...

IRENE. —Puedes quedarte o irte, Emilio... Pero te aseguro que tu presencia no cambiará el rumbo de las cosas.

MANRÍQUEZ. —Adiós, entonces.

IRENE. —Gracias, Emilio... Adiós.

(Y MANRÍQUEZ *hace mutis por la puerta del laboratorio, casi al mismo tiempo que* JUAN *asoma la cabeza por la puerta del foro.*)

JUAN. —¿Se puede?

IRENE. —Sí; entra.

JUAN. —Hola, Irene.

IRENE. —Hola, Juan.

(Y JUAN, *que lleva una flor en la mano, se la entrega a* IRENE.)

JUAN. —Toma. Te traigo esta flor.

IRENE. —Es preciosa. Gracias.

JUAN. —No debes dármelas. La acabo de robar de tu jardín.

IRENE. —De todos modos, es un detalle... Porque has elegido la mejor.

JUAN. —¿He de pagar alguna multa?

IRENE. —Te condeno a sentarte en esa butaca, Juan... Y a estar conmigo un rato... y a charlar.

JUAN. —(*Sentándose.*) Creí encontrarte enfadada, Irene.

IRENE. —Lo estuve. Pero ya pasó... Mi padre ha ido a buscarte... Dice que estaba citado contigo.

JUAN. —Sí, pero como tardaba, he preferido venir yo, por si le ocurría algo.[71]

IRENE. —No le ocurre nada.

JUAN. —Ya lo sé... Me lo he encontrado ahora.

IRENE. —En el café.

JUAN. —Sí.

---

[71] por si le ocurría algo *in case something was happening to him*

IRENE. —Parecéis dos chiquillos jugando a mentir.[72] ¿Por qué no ha venido contigo?

JUAN. —Dice que es mejor que hablemos a solas.

IRENE. —Claro que es mejor... Yo quería verte, Juan.

JUAN. —Yo también... Estos días te he echado de menos... Resulta que me he acostumbrado a tí.

IRENE. —Y yo a tí.

JUAN. —Eso es lo malo.

IRENE. —¿Por qué?

JUAN. —Porque no sé lo que vamos a hacer si esto sigue así.

IRENE. —Podíamos probar a casarnos.

JUAN. —Sí. Aunque no sea muy original, siempre es una solución. Claro que tampoco a estas alturas vamos a presumir de originales.[73]

IRENE. —Eso es lo que yo digo.

JUAN. —Pero ya hablamos de eso el otro día, y te expliqué los motivos por los cuales no podía hacerlo... Creo que nos hemos metido en un mal asunto.

IRENE. —No seas pesimista.

JUAN. —Además, Irene, tú no sabes apenas quién soy.

IRENE. —Eres Juan.

JUAN. —Pero Juan puede ser un estafador... Un evadido de presidio... Un peligroso criminal... ¿No te da miedo?

IRENE. —Soy valiente.

JUAN. —Pero no eres curiosa... Nunca me has preguntado nada sobre mi pasado.

IRENE. —Sólo hay una cosa que me interesa, porque es lo único que ocultas... ¿Por qué dejaste la medicina, Juan? ¿Por qué abandonaste una carrera que, según dicen, empezaba para ti tan brillantemente?

---

[72] Parecéis . . . mentir. *You look like two little boys playing a game of telling lies.*

[73] Claro . . . originales. *Of course at this advanced stage we can't expect to be original.*

JUAN. —Es una historia triste, Irene... No me gusta hablar de estas cosas.

IRENE. —Debes contármela de todos modos... Hay quien deja la medicina y se considera fracasado porque en sus comienzos tuvo un grave tropiezo profesional... Tú, en cambio, según le dijiste a mi padre, abandonaste la carrera por haber salvado a alguien... ¿A quién?

JUAN. —(*Después de una pausa.*) De estudiante tuve una novia, ¿sabes? Yo la quería a ella, pero ella no me quería a mí... Terminamos amistosamente y ella se casó... Al mes de casados,[74] el marido cayó enfermo de gravedad... Ella le quería con un cariño desgarrado, anormal, casi enfermizo... Yo estaba ya situado en mi carrera y me llamó para que fuese a visitarle... Acerté en un diagnóstico difícil y le salvé... Pasado poco tiempo, el marido empezó a beber... Tuvo una amante... Maltrataba a su mujer... La privaba de todo... La hizo tan desgraciada que ella murió. ¿Comprendes ahora? Siete años de estudios, noche y día... Prácticas de Hospital... Notas brillantes... Y todo esto me sirvió para salvar a aquel miserable... ¿Merece la pena estudiar y trabajar y sacrificarse para salvar la vida de tanto estúpido y de tanto malvado como hay en el mundo?

IRENE. —(*Una pausa. Le mira sonriente.*) Te conozco bien, Juan. Esa historia la acabas de inventar ahora.

JUAN. —No, la inventé hace tres meses... Antes contaba otra más dramática, en la que habiá un niño de pecho que no tenía dinero para tapioca.

IRENE. —¿Y por qué estas historias?

JUAN. —Si la gente necesita una explicación para todo, ¿por qué no dársela? Si un hombre muere a los cien años, hay que decir: "Claro, llegó a esa edad porque no bebía." Si otro llega a la misma edad y bebía, hay que decir: "Sí, pero no fumaba." Si un tercero bebía y fumaba, hay que decir: "Sí, pero sólo se alimentaba de lechuga." ¡Siempre una explicación para las cosas

---

[74] Al mes de casados *A month after their marriage*

más sencillas! Hasta para vivir o para morir... ¿Y no es sencillo que yo viva así y que al éxito, a la fama, al dinero, a la vanidad, yo prefiera el sol, los amigos, la humildad y las siestas interminables?

IRENE. —Sí, Juan; pero no lo digas. Es preferible que cuentes esa historia que me has contado antes.

JUAN. —No me acaba de gustar mucho...[75] Tendré que arreglarla.

IRENE. —Inventaremos otra.

JUAN. —La buena es la que cuenta el profesor Vidal para justificar ante la gente, que a pesar de ser el mejor biólogo del mundo, la biología y el mundo le han importado siempre un rábano.[76]

IRENE. —(*Se echa en el hombro de* JUAN.) Te quiero, Juan... Con todos tus defectos.

JUAN. —¿Por qué te has dado cuenta que mi historia era falsa?

IRENE. —Porque empezaba mal. "Tuve una novia a la que yo quería, pero ella no me quería a mí y se casó con otro"... ¿No comprendes que eso es imposible? ¿En qué cabeza cabe casarse con otro,[77] después de conocerte a ti?

JUAN. —Tú eres una fresca, robaperros... Vas a terminar avergonzándome.

(*Se ríen y entra el* DOCTOR PALACIOS *por la puerta del foro.*)

PALACIOS. —¿Estás ya contenta? ¿Habéis arreglado el asunto por fin?

IRENE. —Se resiste muchísimo, papá.

PALACIOS. —Vamos, Juan, no debes ser pesado. Tienes que darte cuenta de las cosas... Con tanta tontería ni yo trabajo ni me ocupo de nada y los de Filadelfia van a terminar mandándome a la porra.[78]

---

[75] No me . . . mucho. *I just don't like it anymore.*
[76] le han . . . rábano *have never meant a great deal to him*
[77] ¿En qué . . . otro *Who would think of marrying another*
[78] los de Filadelfia . . . porra *the people in Philadelphia will end up sending me to the devil*

(*Y se saca de los bolsillos unas hierbas que deja en la mesa del despacho.*)

IRENE. —¿Qué es eso, papá?

PALACIOS. —Las hierbas para el hígado... Ese viajante de comercio es un tío simpático. Me ha prometido mandarme un saco lleno para que me las lleve en el viaje, porque dice que allí me harán mucha falta. Bueno, Juan... ¿Qué? ¿Te casas o no?

JUAN. —Pongo condiciones.

PALACIOS. —Vengan.

IRENE. —Te escuchamos. Puedes empezar.

(PALACIOS *y su hija se sientan.* JUAN *queda en pie.*)

JUAN. —Repito lo que dije al principio... No aceptaré ni un céntimo tuyo ni de tu padre.

PALACIOS. —De acuerdo.

IRENE. —Estamos conformes.

JUAN. —De casarte conmigo,[79] tendrás que vivir en mi casa, que es un piso cuarto,[80] no tiene ascensor, sólo consta de tres habitaciones y está en el puerto.

IRENE. —¡Qué maravilla!

PALACIOS. —¡Un sitio precioso!

JUAN. —Tú tendrás que dejarte de lujos y habrás de ir vestida como corresponde a esa casa, a ese piso y a ese barrio...

IRENE. —Lo encuentro muy lógico.

JUAN. —El vecino de la izquierda estudia violín y toca el violín todo el día y parte de la noche.

IRENE. —Es un instrumento que me enloquece.

PALACIOS. —¡Tan fino!

JUAN. —Los vecinos de la derecha, en cambio, sacuden las alfombras constantemente, tienen tres niños que dan gritos y ponen siempre la radio con la máxima potencia.

---

[79] De casarte conmigo *If you marry me*
[80] un piso cuarto *a fifth-floor apartment*

PALACIOS. —¡Qué entretenido!

IRENE. —¡Con la alegría que dan los niños!

JUAN. —Yo, por mi parte, ni tengo radio, ni tengo alfombras ni tengo nada. Sólo un balcón desde el que se ve el puerto, y se escuchan todas las sirenas de los barcos...

IRENE. —¡Qué poético!

JUAN. —Las sirenas también suenan a las cinco de la mañana.

IRENE. —¡Qué hora tan original!

PALACIOS. —¡La suerte que has tenido encontrando un pisito así!

JUAN. —No tengo servicio. Sólo viene una asistenta por las mañanas para arreglar un poco la casa y, por lo tanto, tendremos que comer y cenar fuera, en el bar de abajo.

IRENE. —¡Qué delicia!

PALACIOS. —A lo mejor, bullavesa.

JUAN. —Siempre bullavesa.

IRENE. —Estupendo... ¿Para qué variar?

JUAN. —Mi escalera es oscura y las paredes están llenas de rayas y de monigotes y a veces por ella suben cucarachas...

IRENE. —¡Me encantan!

PALACIOS. —¡Tan tímidas!

JUAN. —Cuando estemos casados, tú no me harás arrumacos ni tonterías para que yo trabaje y gane dinero como hacen todas las mujeres... Viviremos exclusivamente del dinero que tengo.

IRENE. —¡Nos sobra!

JUAN. —Yo seguiré haciendo mi vida de siempre, y saliendo con mis amigos y jugando con ellos al dominó.

IRENE. —Pues claro que sí... Tienes unos amigos muy simpáticos... Y no vas a dejar un deporte tan apasionante.

JUAN. —No compraré ninguna nevera, ni ninguna plancha eléctrica, ni ninguna vajilla a plazos... Seguiré tomando queso para merendar, en lugar de tomar té con pastas como tomas tú... Nuestro viaje de bodas será breve...

IRENE. —¿Cómo será, Juan?

PALACIOS. —Anda, cuéntanos...

JUAN. —Después de almorzar en el bar con tu padre y con los amigos, cogeremos mi barca y saldremos al mar hasta que el sol se ponga... Todos, desde el puerto, nos despedirán con los pañuelos, porque sólo por estas despedidas los viajes son bonitos y cuando los pañuelos han dejado de verse, ya los viajes empiezan a causar fatiga.

IRENE. —Es verdad.

PALACIOS. —En eso tiene muchísima razón.

JUAN. —Por eso, cuando el sol se haya puesto, volveremos a casa. Y a las diez, como siempre, estaremos en el café...

IRENE. —¿Y qué más?

JUAN. —Ya no hay más... ¿Estarías conforme con todo eso?

(IRENE *se levanta y se coge del brazo de* JUAN.)

IRENE. —¡Pues claro, Juan! No ambiciono otra cosa.

JUAN. —¿Aceptas entonces?

IRENE. —Sí, Juan... Con los ojos cerrados.

(*Y* al ver que JUAN, *emocionado, se pasa una mano por los ojos, pregunta.*)

¿Qué te pasa, Juan?

JUAN. —No, nada... Que he pasado un mal rato terrible... Creí que ibas a decir que no... Y la verdad, Irene, es que te quiero como tú no sospechas aún...

IRENE. —(*También emocionada.*) Déjame llorar, Juan... ¡Soy tan feliz!

(*Y va a acurrucarse en una butaca enjugándose los ojos con un pañuelo.* JUAN *se acerca a* PALACIOS *y le habla en voz baja.*)

JUAN. —Francamente, con sinceridad... ¿Usted cree que Irene aguantará todo eso?

Palacios. —(*Igual.*) Hombre... yo no sé. Pero las mujeres están
tan chaladas... Dame un abrazo de todos modos...

(Y *se abrazan.*)

Creo en ti y en ella... Todo saldrá bien... y ahora, os dejo solos.
Juan. —Gracias, doctor.

(Y Palacios *hace mutis por la puerta del laboratorio.*
Juan *se acerca a* Irene. *Se sienta en el brazo de la butaca.*)

Juan. —Irene...
Irene. —¿Qué?
Juan. —¿No te arrepentirás?
Irene. —Nunca.
Juan. —Tengo miedo... Vas a renunciar por un capricho mío a
muchas cosas... Tu ambiente, tus comodidades, tus lujos...
Irene. —Acércate más, Juan... No soy una niña caprichosa como
tú te figuras... No renuncio a todo por ti solamente, sino porque creo que tienes razón en tu manera de pensar... Si todos,
como tú, nos conformáramos con un poco de sol, con una barca,
con unos amigos y con un pedazo de queso, como un ratón...
¡qué maravilla el mundo! Y tú así eres feliz y yo lo quiero ser
igual que tú... Al principio, quizá eche un poco de menos mi
casa, mis comodidades, mi ambiente... Pasaré mis crisis. Pero
no hagas caso si estoy un poco inquieta... Trata de ayudarme
por el bien de los dos.
Juan. —Sí, Irene. Yo te ayudaré, como tú me ayudarás a mí.
Irene. —Gracias, mi adorado ratón.
Juan. —De nada, mi querida robaperros.

TELÓN

ACTO SEGUNDO

Cuadro Primero

Cuarto de estar en casa de Juan. Es un piso pequeño y modesto pero alegre y simpático. Muchos barquitos por todas partes. Pinturas y grabados con motivos marineros. Objetos pintorescos. Muebles originales. Al foro, un gran balcón abierto, que da al puerto. A la derecha una puerta que comunica con las demás habitaciones. A la izquierda, en primer término, otra, por la que se entra al piso, con forillo de escalera. Un armario de luna. Un gran diván cómodo. Y cerca del balcón un caballete con un lienzo, en el que vemos, sin terminar, un retrato de Irene al óleo. Junto al caballete, una mesita con pinturas, pinceles, paletas, etc. Es verano y hace calor. Son las seis de la tarde.

(*Antes de levantarse el telón, con la batería encendida, se escucha la sirena de un barco, una radio que emite música de baile y una pieza clásica tocada en un violín. Con esta algarabía, lentamente se va alzando el telón y vemos la escena sola. Y a estos sonidos se une ahora el llanto de un niño y el ruido de una grúa trabajando en el muelle. Momentos después entra* IRENE *por la derecha, que, casi desesperadamente, corre hacia el balcón y lo cierra. Luego se tapa los oídos con las manos y, nerviosa, cae sollozando en el diván. Al cerrar el balcón, los ruidos se han hecho más opacos y ella, poco a poco, va tranquilizándose hasta oír a* JUAN *que silba o canta por la izquierda. Apresuradamente se arregla la cara y el vestido—uno muy sencillo de percal—y cuando suena alegremente la campanilla de la puerta, hace un esfuerzo por cambiar de expresión y va,*

51

sonriendo, a abrir. Entra Juan, *a cuerpo, cubierto con una gorra de cuadros.*)

Irene. —¡Juan!
Juan. —Hola, cariño.

(*Se besan en la boca.*)

¿Estás bien? ¿Has dormido tu siesta?
Irene. —Sí. Estoy levantada hace ya un rato.
Juan. —¡Cómo te envidio! ¡Tener tiempo para poder dormir la siesta!

(*Y se quita la gorra que va a dejar en un perchero.*)

Irene. —¿Pero qué gorra es ésa? ¡Tú nunca has llevado gorra!
Juan. —Es bonita de todos modos, ¿verdad?
Irene. —Sí. Puede que sea bonita. Pero no te va a ti...[1]
Juan. —Ya te explicaré... ¿He tardado en volver?
Irene. —Al contrario. Aún no son las seis. No te esperaba todavía.
Juan. —He trabajado mucho, ¿sabes?
Irene. —¡Ah! ¿Sí?
Juan. —Mucho, Irene... Vengo cansadísimo... Yo no he nacido para trabajar de esta manera.
Irene. —Échate en el diván... Descansa... Y cuéntame todo lo que has hecho.
Juan. —(*Mientras se quita la americana, que cuelga junto a la gorra.*) ¿Por qué tienes cerrado?... hace calor.
Irene. —Acabo de cerrar ahora mismo.

(Juan *va hacia ella que sigue en pie. La mira.*)

Juan. —El ruido, ¿verdad?

---

[1] Pero no te va a ti. *But it doesn't become you.*

IRENE. —No, ni mucho menos...[2] ¡pero si no se ha oído ni una
mosca! Se levantó un poco de viento... Hacía corriente y por
eso cerré.

JUAN. —(*La coge por la barbilla. Sonríe.*) Ni a mí me va la
gorra ni a ti te va mentir... Dime la verdad.

IRENE. —(*Confiesa, al verse descubierta.*) Sí, Juan... Cuando me
eché a dormir, parece que todos se pusieron de acuerdo para
hacer ruido al mismo tiempo... El violín, las sirenas, la radio,
los chicos, las grúas. Me he puesto un poco nerviosa, Juan...
Perdóname.

JUAN. —(*La besa.*) ¿Por qué? No debes preocuparte... No puedo
impedir que suenen las sirenas y las grúas hasta que cesen su
trabajo, pero a los vecinos puedo decirles que se callen un poco
durante estas horas... Son buena gente y nos harán caso.

IRENE. —¡Si no tiene importancia, Juan! Déjalo... Ya me acos-
tumbraré.

(JUAN *se sienta pensativo en el diván.*)

JUAN. —Desde luego, ni la casa ni el barrio es tranquilo, lo sé...

(IRENE *se sienta junto a él.*)

IRENE. —¡Pero no hablemos más de ello, Juan! Anda, olvida eso
y cuéntame todo lo que has hecho.

JUAN. —A veces he pensado mudarme de aquí, ¿sabes?... Y sin
embargo quiero a mi barrio... Por estas calles he pasado miles
de veces... Me las conozco piedra por piedra... Si algún día, de
pronto, me quedase ciego, podría ir por ellas tan ágilmente como
voy ahora, sin que nadie se diese cuenta... Quiero a mi barrio,
Irene.

IRENE. —Y yo también, Juan... Pero si es muy bonito y muy
alegre... No tienes por qué decirme eso.

---

[2] ni mucho menos *far from it*

Juan. —Es que, además, no te he dicho otra cosa... Hace algún tiempo hubo huelga en el puerto y durante tres días no sonaron las sirenas ni las grúas, y los vecinos, atemorizados, estuvieron callados también... Hasta los chicos declararon su huelga al llanto y a los gritos... Y si vieras lo espantoso que era aquel silencio que no me dejaba ni dormir... Sólo cuando empezó otra vez la algarabía y los niños volvieron a llorar a gritos y la vida se puso en marcha, fue cuando empecé a dormir a pierna suelta...[3] ¿Abro un poco?

Irene. —(*Sonriendo convencida.*) No. Un poco no... Abre de par en par.

Juan. —(*Va hacia el balcón.*) Gracias, Irene... Estaremos mejor.

Irene. —Y vuelve aquí... Tienes que contarme todo lo que has hecho.

(Juan *ha abierto el balcón y después va a su chaqueta y saca de un bolsillo una pequeña jaula.*)

Juan. —Primero, te he comprado este grillo, con su jaula y todo.

Irene. —¿Un grillo?... ¡Pero, Juan! ¿Otro ruido más?

Juan. —Es que este grillo, aquí dentro, te servirá como de vacuna para los demás ruidos... Ahora te molestan porque lo hacen los otros... Pero teniendo en casa quien les conteste... Toma. ¿Te gusta?

Irene. —Muchísimo.

Juan. —Hay que darle lechuga.

Irene. —¿Y qué más?

Juan. —Y un beso.

Irene. —¿Al grillo?

Juan. —A mí...

Irene. —Toma.

(*Se lo da.*)

---

[3] a pierna suelta *like a log*

JUAN. —Gracias.

IRENE. —Bueno. Y además de comprarme el grillo, ¿qué has hecho?

JUAN. —No puedes figurarte lo que he andado... Un amigo quería una recomendación para los exámenes de su hija, que estudia Farmacia, y le he acompañado a ver al catedrático... Se ha puesto muy pesado y muy grave, pero le he convencido para que le apruebe, aunque no sepa nada, porque la verdad es que la pobre no sabe una palabra... Pero, ¿cómo pretenden que sepa algo una chica de veinte años, rubia, alegre y con ojos azules? ¿No te parece que es pretender demasiado?

IRENE. —(*Riendo.*) Sí. Puede que sí...[4] ¿Y qué has hecho después?

JUAN.—Sebastián se quería comprar un sombrero de paja y le he acompañado a la sombrerería. Se ha probado uno y otro y no le ha gustado ninguno. El dependiente empezó a poner mala cara...[5] El pobre Sebastián estaba inquieto... Después de dar tanto la lata, le avergonzaba irse sin comprar nada... Entonces yo, para sacarle del apuro, me he comprado esa gorra, y los dos se han quedado tranquilos.

IRENE. —Pero esa gorra no te la pondrás más... ¡Es feísima!

JUAN. —No tengo más remedio que ponérmela... Sebastián cree que la he comprado porque me gusta... Se llevaría un disgusto si se diese cuenta del motivo...[6] Tendré que ir con esa gorra todo el verano.

IRENE. —Y después, ¿dónde has ido?

JUAN. —Primero a dar el pésame a la familia del médico del barrio, que murió ayer... ¡Era una gran persona! Y de allí, con Sebastián, a casa de unos amigos suyos... Una pobre gente que ha perdido el empleo... Les he ayudado en lo que he podido y aquí estoy.

---

[4] *Puede que sí. Perhaps so.*
[5] a poner mala cara *to become disgruntled*
[6] Se llevaría . . . motivo. *He would be displeased if he realized the motive.*

IRENE. —Con la gorra y el grillo...

JUAN. —No es eso sólo... Te traigo, además, una sorpresa.

IRENE. —¿Qué sorpresa?

(JUAN *saca del bolsillo alto de la camisa una fotografía.*)

JUAN. —Mira esta "foto".

IRENE. —(*Sorprendida.*) ¿Quién es este niño?

JUAN. —El nuestro.

IRENE. —¿Cómo el nuestro?

JUAN. —He pensado que las mujeres tardáis mucho tiempo en tener niños... A veces hasta un año... Nosotros ya llevamos casados tres meses y nada...

IRENE. —Bueno, ¿y qué?

JUAN. —Que yo quiero tener un niño, puesto que me he casado... Este es huérfano... Sus tíos, con los que vive, son los que se han quedado sin empleo... No tienen dinero para mantenerlo ni para educarle, y se lo he pedido y me lo van a dar.

IRENE. —(*Seria.*) ¡Pero eso es un disparate!

JUAN. —¿Por qué va a serlo? El niño es mono, está sano y se llama Ricardito... Además me lo ceden gratis... Yo creo que es una ganga.

IRENE. —Pero cuando nosotros tengamos uno de verdad...

JUAN. —Así podrá jugar con éste... Yo le he visto jugar y sabe jugar muy bien... En plan fino,[7] ¿sabes? Recorta monigotes de los periódicos, da volteretas por el suelo...

(IRENE *se levanta disgustada. Va hacia el balcón y se queda en el quicio, de espaldas al público.*[8])

IRENE. —Haz lo que quieras, Juan.

---

[7] En plan fino *In a refined way*
[8] de espaldas al público *her back turned to the audience*

JUAN. —¿Te has enfadado?

(IRENE *no contesta. Está realmente enfadada. Entonces*
JUAN *se quita un zapato, se levanta, va hacia ella, la coge*
de un brazo y la lleva hasta la luna del espejo. Y cuando
está frente a él, le pone el zapato a modo de sombrero.)

IRENE. —¿Por qué haces esto?
JUAN. —Cuando uno se enfada, lo mejor es ponerse un zapato en
la cabeza y mirarse al espejo. Así se encuentra uno ridículo, se
ríe, y el enfado desaparece...

(IRENE *se mira en el espejo, sonríe, se vuelve y besa a*
JUAN, *conservando el zapato en la cabeza.*)

IRENE. —Tienes razón, Juan... No he debido, además, enfadarme...
Haces bien en querer traer a Ricardito... Pero no vengas con
pretextos... Si lo haces, es porque quieres ayudar a esa pobre
gente.
JUAN. —Puede ser...

(IRENE *vuelve a besarle.*)

IRENE. —¡Siempre serás el mismo!

(Y *se quita el zapato, y con él calza a* JUAN *mientras sigue*
hablando.)

Pero tendremos que comprarle ropa al niño... Y una camita
para que duerma... Y un tren eléctrico para que juegue... Y su
cubierto, su servilletita...
JUAN. —¿Tantas cosas?
IRENE. —Claro que sí... Y la nevera eléctrica que yo quiero tener,
para conservar sus alimentos...

JUAN. —Te he dicho que no quiero neveras, Irene...
IRENE. —Si lo peor no es eso... Es que dentro de nada[9] habrá que
llevarle al colegio... Y comprarle libros, y lápices y cuadernos...
Todo esto te ocasionará gastos, y no tenemos más que lo pre-
ciso... Habrá que pedirle dinero a mi padre o tú tendrás que
hacer alguna cosa...
JUAN. —¿Alguna cosa? ¿Cuál?
IRENE. —¡Qué sé yo! Trabajar en serio, por ejemplo...

(JUAN *piensa un momento. Después va al perchero y coge
la gorra.*)

IRENE. —¿Pero qué vas a hacer?
JUAN. —Ir a casa de esos amigos y decirles que no nos quedamos
con Ricardito...
IRENE. —¡Pero se van a llevar un disgusto!
JUAN. —Les llevaré el grillo como compensación...

(Y *coge la jaula del grillo y va hacia la puerta de la
izquierda.*)

IRENE. —(*Yendo hacia él.*) ¡No debes hacer eso! ¡Todo lo
podremos arreglar! ¡He querido sólo asustarte!
JUAN. —Y te has salido con la tuya,[10] guapita... Volveré en seguida. Hasta después...

(Y *abre la puerta y hace mutis precipitadamente.* IRENE,
riendo, le llama desde la puerta.)

IRENE. —¡Vuelve, Juan! ¡Juan!...

(*Pero* JUAN *no contesta y ella cierra y cuando va hacia el*

---

[9] Es que dentro nada *It's that within no time at all*
[10] Y te ... tuya *And you've had your way*

*balcón, como si fuera a despedirse desde él, suenan unos golpecitos en el tabique de la izquierda. *IRENE* se vuelve y dice alzando la voz.)*

¿Has llamado, Luisa?

(Y la voz de LUISA *se oye desde dentro.)*

LUISA. —Sí. Soy yo... ¿Puedo pasar un momento?
IRENE. —Sí. Claro que sí.
LUISA. —Ábreme entonces.
IRENE. —Voy en seguida...

*(*IRENE* vuelve a abrir la puerta de la izquierda y un instante después entra *LUISA, *la costurera del piso de al lado. Es alegre, tiene unos veintitantos años y trae en la mano un vestido elegante y caro de mujer.)*

LUISA. —Te he oído despedir a Juan y por eso llamé...
IRENE. —Tú puedes entrar siempre que quieras.
LUISA. —No se os debe molestar, Irene... Estáis recién casados, y aunque una no sabe lo que son estas cosas, se las figura.
IRENE. —Por mucho que una se figure, hay tiempo para todo.
LUISA. —Además quería hablarte de los vestidos, sin que Juan estuviera delante.
IRENE. —¿Por qué? No tengo nada que ocultarle...
LUISA. —Es un crimen estropear este vestido, Irene.
IRENE. —Pero, ¿qué más da? No debes preocuparte.
LUISA. —Es muy bonito y me da pena... Ya te he arreglado los otros, pero éste, sin embargo...
IRENE. —¡Si nunca me lo voy a poner!
LUISA. —Quizá algún día pueda hacerte falta... ¡Y da tanta lástima estropear vestidos tan bonitos!
IRENE. —No los estropeas... Los conviertes en otros más sencillos, como a Juan le gustan... y a mí también.

LUISA. —Pero debes conservar alguno.

IRENE. —En casa de mi padre tengo más.

LUISA. —Ninguno de ellos será como éste.

(*Y ella misma lo muestra poniéndoselo por delante.*)

IRENE. —Sí... Bonito sí es. Me lo hicieron el año pasado para ir con mi padre a un Congreso... A Roma y a París... Y hasta le tengo un poco de cariño porque en aquel viaje todo me fue bien y hasta logré divertirme, que no es cosa fácil en un Congreso médico, ¿sabes?... Pero a Juan no le gustará que lo tenga...

LUISA. —Juan comprende las cosas... No se enfada.

IRENE. —Ya lo sé... Pero le di una palabra y quiero cumplirla. Además, si te gusta tanto, arréglatelo para ti... Yo te lo regalo...

LUISA. —¡Qué disparate! ¿Y a dónde iría yo con él?

IRENE. —Puedes casarte con un hombre rico que te lleve a fiestas.

LUISA. —No creo en los cuentos de hadas... Y además yo nunca me casaré.

IRENE. —¿Por qué?

LUISA. —Qué sé yo... Estoy muy bien así... Anda, ponte el vestido. Así veremos lo que tú quieres y lo que yo puedo hacer.

IRENE. —Sí. Es mejor.

(IRENE, *por la puerta de la derecha, que deja abierta, entra y se cambia de vestido mientras siguen charlando.*)

LUISA. —¿Qué tal te va en la casa?[11]

IRENE. —Muy contenta, Luisa.

LUISA. —¿No te molesta tanto ruido?

IRENE. —No, al contrario... El silencio sería peor.

LUISA. —Pero a lo mejor echas de menos tu mundo, tu ambiente...

---

[11] ¿Qué . . . casa? *How are things going in the house?*

Esos viajes al extranjero... ¿No te encuentras aquí un poco extraña?

IRENE. —Nada de eso... Soy feliz.

LUISA. —¿Y tu padre?

IRENE. —Bien. Trabajando mucho.

LUISA. —Tengo ganas de volverle a ver... Me llamó por teléfono varias veces para darme recados ¡y me fue tan simpático!... Es un gran sabio, ¿verdad?

IRENE. —Sí.

(*Se ha sentado en el sofá, y sobre la mesa que hay delante, ve una de las pipas que usa* JUAN. *La coge con cariño. Cambia levemente de tono.*)

LUISA. —¿Tú no crees que Juan también podría serlo?

IRENE. —Seguro, si él quisiera...

LUISA. —(*Triste.*) Claro... Pues él no quiere nunca nada, o más bien, sólo se quiere a él.

IRENE. —¿Por qué dices eso?

LUISA. —No. Perdona... Es que a veces pienso que es un egoísta, ¿sabes? Pero seguramente no estaré en lo cierto.

IRENE. —No lo estás, desde luego.

(*Llaman a la puerta.*)

LUISA. —¿Será Juan? ¿Abro?

IRENE. —Sí. Haz el favor.

(*Y* LUISA *abre y entra* MANRÍQUEZ.)

MANRÍQUEZ. —Buenas tardes.

LUISA. —¡Ah, hola! (*Volviéndose hacia la alcoba.*) Irene, creo que es el ayudante de tu padre...

IRENE. —¿Manríquez?

MANRÍQUEZ. —Sí. Soy yo.
IRENE. —Pasa, Emilio... Salgo en seguida.

(MANRÍQUEZ *entra.* LUISA *cierra la puerta.*)

LUISA. —Nos conocimos en la boda de Juan... ¿Se acuerda usted?
MANRÍQUEZ. —Sí, claro que sí...

(Y *sale* IRENE *con el vestido puesto.*)

IRENE. —Perdona, Emilio... Me estaba probando este vestido que
   Luisa tiene que arreglarme... ¿Cómo tú por aquí?[12]
MANRÍQUEZ. —Me manda tu padre a darte un recado.
IRENE. —¿Sigue bien papá?
MANRÍQUEZ. —Muy bien... ¿Y Juan?
IRENE. —Ha salido... Volverá en seguida... Un momento y habla-
   mos. (*A* LUISA.) Mira, tienes que quitarle todos estos adornos...
   La falda recta y la tela del vuelo la aprovechas para dejar el
   escote cerrado y unas mangas cortas... ¿Se puede hacer?

   (LUISA *prende unos alfileres en algún sitio, o lo indica
   simplemente recogiendo con las manos el vuelo de la
   falda.*)

LUISA. —Sí. Tela hay suficiente... El talle más alto... Dentro de
   lo sencillo, puede quedar mono...[13]
IRENE. —¿Lo estás viendo?
LUISA. —Tienes razón... ¿Te lo quitas o vuelvo después?
IRENE. —Mejor luego... Está Emilio esperando...
LUISA. —Me voy entonces; tengo mucho trabajo... Adiós, señor.
MANRÍQUEZ. —Adiós, señorita.
IRENE. —Hasta después, Luisa... Yo te llamaré.

---

[12] ¿Cómo tú por aquí? *What brings you here?*
[13] Dentro . . . mono. *As a simple dress it can turn out pretty.*

Luisa. —Cuando te venga bien...[14] Adiós.

(Y Luisa *sale por la puerta que le ha abierto* Irene.)

Irene. —¿Y qué quiere mi padre? Anda, siéntate.

Manríquez. —(*Haciéndolo.*) Gracias... Esta tarde dan un cocktail en su honor, de despedida... Y a él le gustaría que tú fueses.

Irene. —¿Un cocktail? ¿En dónde?

Manríquez. —En casa del Dr. Graffit, el americano... Nos conviene mucho como introducción en su país... Irá gente que nos interesa... Y la fiesta estará muy bien.

Irene. —Ya lo creo... Y claro que me gustaría ir. Pero ya sabes que Juan no va a estas fiestas.

Manríquez. —Puedes ir sin él... Se trata de estar con tu padre y de acompañarle estos días, antes que nos marchemos... Ya que te has empeñado en no hacer el viaje con nosotros.

Irene. —Sabes que es imposible.

Manríquez. —Tu padre tenía esa ilusión... Y tú siempre soñabas con esto.

Irene. —Es verdad... Y ahora, viviendo aquí, frente al puerto... Viendo salir los barcos cada día... ¿quién no piensa en un largo viaje?... Pero es imposible. Las cosas han cambiado.

Manríquez. —No sabes lo bien que lo pasarías... Primero vamos a Nueva York, en donde ya estamos invitados a un sin fin de fiestas...[15] Después a Filadelfia...

Irene. —¿En qué barco?

(Manríquez *saca del bolsillo unos folletos.*)

Manríquez. —Vengo ahora de la Compañía... Mira estos folletos... Es un barco nuevo americano... Precioso, como ves.

Irene. —(*Mirando la foto.*) Sí. Precioso.

---

[14] Cuando te venga bien. *Whenever you get a chance.*
[15] a un sin fin de fiestas *to an endless number of parties*

MANRÍQUEZ. —Fíjate qué salones...

IRENE. —Enormes... Muy lujosos.

MANRÍQUEZ. —Tres piscinas.

IRENE. —¡Qué maravilla!

MANRÍQUEZ. —¿Sabes quién tiene pasaje para la misma travesía?

IRENE. —No.

MANRÍQUEZ. —Isabel, tu amiga.

IRENE. —¿Isabel? ¿Y a qué va?

MANRÍQUEZ. —¿Pero no sabes que se ha casado por poderes?

IRENE. —No sabía... Aquí no me entero de nada... Es otro mundo... Anda, cuéntame... ¿Y quién es él?

MANRÍQUEZ. —Uno de los más famosos arquitectos de Nueva York, a quien conoció aquí... Gana lo que quiere, ¿sabes? Un trabajador cien por cien, como allí se dice... Ella está encantada, figúrate... Un hombre con ese éxito. Con esa capacidad de trabajo... Y que si ahora ya es rico y famoso por su propio esfuerzo, aún le espera un porvenir mucho más brillante... ¿En qué piensas?

(IRENE *se ha quedado pensativa. Y notando la intención de* MANRÍQUEZ *se levanta y le devuelve los folletos.*)

IRENE. —No. En nada... Pero tengo que hacer, ¿sabes?

MANRÍQUEZ. —¿Te he molestado en algo?

IRENE. —No. Pero lo has intentado.

MANRÍQUEZ. —No comprendo...

IRENE. —Yo sí.

MANRÍQUEZ. —De todos modos, no puedes dejar de venir a esta fiesta. Tu padre tiene muchísimo interés... Aunque sólo sea por complacerle, debes hacerlo.

IRENE. —Sólo iré si Juan quisiera acompañarme.

MANRÍQUEZ. —¿No te importa que le espere entonces?

IRENE. —No. ¿Por qué va a importarme?

MANRÍQUEZ. —Gracias. (*Y va hacia el cuadro, en el que se había fijado mientras* IRENE *se probaba.*) Es bonito este retrato.

IRENE. —¿Verdad que sí? Cuando esté terminado, quedará precioso.

MANRÍQUEZ. —Se ve la mano de un buen pintor... ¿Quién te lo hace?

IRENE. —Sebastián... Ya tú le conoces.

MANRÍQUEZ. —¿Cómo? ¿Aquel que nos llevaba los perros?

IRENE. —Sí. Es un pintor magnífico. Primera medalla en dos exposiciones...

MANRÍQUEZ. —¿Pero en qué mundo te has metido, Irene? ¿Es posible que un pintor así, sea un vagabundo que roba perros? Te juro que no comprendo nada de esta gente.

IRENE. —Ellos no intentan que se les comprenda... No juegan al enigma.

MANRÍQUEZ. —Pero pintando de este modo, podría ganar mucho dinero.

IRENE. —Por eso no quiere pintar... Dice que ganar mucho dinero, es de lo más incómodo que existe.

MANRÍQUEZ. —Y tú, ¿qué opinas de este criterio tan absurdo?

IRENE. —Hace tiempo que dejé de opinar... Quiero a Juan y lo demás no importa. (*Oye algo y va a la puerta.*) Ya creo que está aquí. (*Y abre y entra el* PROFESOR VIDAL.) ¡Profesor!

(*Y le besa.*)

VIDAL. —Hola, hijita.

IRENE. —Creí que era Juan.

VIDAL. —Viene detrás, con Sebastián... Siempre jugamos a ver quién sube antes la escalera, y siempre gano yo... (*Se vuelve hacia el descansillo.*) Bueno, pero esta vez sólo por un tramo... Ya están aquí. (*A* MANRÍQUEZ.) Hola, pollo.

MANRÍQUEZ. —Buenas tardes, profesor.

(*Y entra* SEBASTIÁN *y después* JUAN, *que cierra la puerta.*)

IRENE. —¡Hola, Sebastián!

SEBASTIÁN. —Hola, modelo... Caramba, Manríquez...

JUAN. —¡Ah! Pero si está aquí Emilio... Me alegro verle.

MANRÍQUEZ. —Muchas gracias, Juan... Acabo de llegar y he venido...

JUAN. —Puede sentarse... Tenemos tiempo de charlar. Sebastián se propone hoy acabar el retrato de Irene. Mientras él pinta, nosotros hablaremos. (*Y se fija por primera vez en el vestido que lleva* IRENE.)

IRENE. —Emilio viene de parte de mi padre... Le dan una fiesta de despedida en casa del Dr. Graffit y quiere que yo vaya.

JUAN. —¡Ah, muy bien! Puesto que ya te has vestido para ir...

IRENE. —No me he vestido para esto... Luisa estaba probándome, cuando llegó Emilio.

JUAN. —Pero, ¿por qué darme tantas explicaciones? Es lógico que vayas, si lo desea tu padre.

IRENE. —Es que quiero que vengas tú también.

JUAN. —¿Yo a un cocktail? ¿A santo de qué?[16]

MANRÍQUEZ. —Y si el profesor Vidal quiere acompañarnos... Irá gente importante.

VIDAL. —A mí no se me ha perdido nada entre gente importante, pollo.

JUAN. —Y si hubiera perdido algo, no sería esa gente quien se lo devolviese. ¿Verdad, Vidal?

VIDAL. —Desde luego...

JUAN. —Yo tampoco voy, Irene. Ya sabes que no me gustan estas cosas.

IRENE. —(*Con cierta energía.*) Aunque no te gusten, debes hacerlo.

JUAN. —¿Por qué razón?

IRENE. —No puedes ser siempre tan egoísta.

JUAN. —(*Asombrado por este tono.*) ¡Ah! ¿Soy egoísta? Nunca me lo habías dicho.

IRENE. —Si mi padre me necesita, debo estar a su lado.

---

[16] ¿A santo de qué? *What for?*

JUAN. —Nadie te lo impide.

IRENE. —Yo he cedido a todos tus caprichos... Debes hacer algo por complacerme.

JUAN. —Mira, Irene: si un día voy a un cocktail, o a una fiesta, ya iré un día, y otro, y muchos días más... Y no era esto lo convenido... Antes de casarme hablé bien claro.

IRENE. —(*Firme.*) Iré yo sola entonces.

JUAN. —Como quieras.

MANRÍQUEZ. —Puedo acompañarte... Tengo el coche abajo.

IRENE. —Termino en seguida de arreglarme... Espera un momento, por favor.

> (*Y hace mutis por la alcoba. Hay un silencio embarazoso que rompe* MANRÍQUEZ.)

MANRÍQUEZ. —Siento lo ocurrido,[17] Juan... Pero el doctor Palacios tenía tanto interés en que ella fuese...

JUAN. —Es muy natural... No debe preocuparse por tan poca cosa... Siéntese, se lo ruego.

> (SEBASTIÁN, *desde que ha entrado, está preparando sus pinturas y ahora dice mientras las vuelve a recoger.*)

SEBASTIÁN. —Yo, en el fondo, me alegro, porque así no tengo que pintar... ¡Qué horror la pintura! ¡Cómo mancha los dedos!

MANRÍQUEZ. —No sabía que fuese usted tan buen pintor, Sebastián.

SEBASTIÁN. —(*Mientras va a tumbarse en el sofá.*) ¿Y ahora que lo sabe, se siente más dichoso? ¿Le crece más el cabello y digiere mejor? Creo que ha vivido usted perfectamente sin saberlo.

MANRÍQUEZ. —Sí, claro... Pero me sorprende.

---

[17] Siento lo ocurrido *I'm sorry for what happened*

VIDAL. —A usted le sorprende todo, hijito... Va usted a enfermar del corazón con tanta sorpresa.

MANRÍQUEZ. —Es que siendo un pintor tan excelente...

SEBASTIÁN. —¿Y qué culpa tengo yo de eso? Si tuviera tres piernas en vez de dos, ¿cree usted que iría dándole la lata a todo el mundo enseñándole mi otra pierna?

VIDAL. —La pintura para él es su tercera pierna... Una deformidad que le incomoda.

JUAN. —Y lo mismo que no se muestran los defectos, es de mala educación mostrar las cualidades. ¿No cree usted lo mismo?

MANRÍQUEZ. —Tienen ustedes una manera tan original de ver la vida, que la conversación se hace difícil.

VIDAL. —En ese caso, no hablemos de nosotros y hablemos de usted... Ya he leído todas las interviús que le han hecho. Son graciosas.

MANRÍQUEZ. —¿Por qué?

JUAN. —Porque tiene usted casi tanto nombre como su maestro.

MANRÍQUEZ. —Como el descubrimiento se debe a los dos...

JUAN. —Sí, claro... Naturalmente.

VIDAL. —Con ese invento para no dormir, se ha espabilado usted muchísimo.

MANRÍQUEZ. —¿Creen, acaso, que voy de mala fe? ¿Suponen que un hombre de negocios no puede tener sentimientos?

JUAN. —No, no... Al contrario... Yo los conozco muy sentimentales. Un día vi a un hombre de negocios que deshojaba lentamente una margarita para saber si le iría bien o le iría mal una fábrica de chorizos que acababa de abrir.

MANRÍQUEZ. —Es muy posible...

JUAN. —¿Y, por fin, cuándo salen para Filadelfia?

MANRÍQUEZ. —Dentro de quince días... Antes nos quedaremos en Nueva York, donde nos espera un gran recibimiento.

SEBASTIÁN. —¿Y cómo van? ¿En avión o en barco?

MANRÍQUEZ. —En barco... Tengo aquí los folletos... Véalos...

SEBASTIÁN. —No me moleste... Ya sé como es un barco.

VIDAL. —Hacen muy bien en ir embarcados. La aviación no tiene porvenir... Dentro de algunos años se habrá comprendido que la aviación sólo ha sido un juguete peligroso puesto en manos de niños irresponsables.

JUAN. —¿Usted se acuerda del diábolo? ¡Un bello juego! Un peón que dejaba la tierra para volar... Todo el mundo jugaba al diábolo. ¿Y quién se acuerda hoy del diábolo? La gente vuelve a jugar al tute, que es más seguro.

VIDAL. —Igual pasará con la aviación.

JUAN. —¿No le parece a usted?

MANRÍQUEZ. —Pues yo, la verdad...

JUAN. —¿Usted, qué?

MANRÍQUEZ. —No, nada.

(*Entra* IRENE *ya terminada de arreglar.*)

IRENE. —Ya estoy.

VIDAL. —Muy guapa, Irene...

IRENE. —Gracias...   (*A* MANRÍQUEZ.)   ¿Vamos?

MANRÍQUEZ. —Vamos...

(*Va a salir, pero se arrepiente y se vuelve a* JUAN.)

IRENE. —¿Un beso, Juan?

JUAN. —(*Dándoselo.*) Claro que sí... Salude a tu padre y que te diviertas.

IRENE. —Sólo un momento para estar con papá, y vuelvo en seguida. (*A* MANRÍQUEZ.) Cuando quieras, Emilio...

MANRÍQUEZ. —Vamos... Buenas tardes a todos.

IRENE. —Adiós.

(*Y sale* IRENE *por la izquierda, seguida de* MANRÍQUEZ. JUAN *les acompaña hasta la puerta, que cierra. Hay un silencio embarazoso. Cada uno toma asiento en cualquier lado.*)

VIDAL. —Es curioso... Tengo la impresión que ese chico, a veces, nos toma por unos chalados.

SEBASTIÁN. —¿Tú crees? No lo comprendo.

VIDAL. —Es que la juventud de ahora es tan insensata y piensa tan mal de la gente...

SEBASTIÁN. —No sé qué motivos le hemos dado para que piense mal... Unos hombres tan normales como nosotros...

VIDAL. —Sea lo que sea, nos mira un poco raro. A veces creo que le damos miedo...

SEBASTIÁN. —Si te parece voy a buscarle y le pedimos explicaciones...

VIDAL. —No vale la pena. Discutir con un imbécil es espantoso. Al cabo de cinco minutos de discusión ya no se sabe bien si el imbécil es él, o el imbécil es uno...[18]

SEBASTIÁN. —Estoy de acuerdo... ¿Tú qué opinas, Juan?

JUAN. —Os agradezco estas bromas que estáis gastando, para no hablar de lo que pensáis.

VIDAL. —¿Para qué hablar de cosas desagradables? Has hecho mal en casarte, Juan. Ya tienes una preocupación que antes no tenías.

JUAN. —También tenemos momentos felices... Nos queremos... Nos acompañamos.

VIDAL. —Ella se casó contigo esperando hacerte cambiar.

JUAN. —No lo conseguirá. He elegido, como vosotros, la vida que me gusta... Y hoy, más que nunca, creo que estoy en lo cierto...[19] Pero Irene está en su momento de crisis.

VIDAL. —¿No serás tú el que la estás pasando?

JUAN. —¿Por qué dices eso?

VIDAL. —Nos hemos puesto en contacto con gentes que viven en un mundo del que nosotros nos hemos apartado, por comodidad, o quizá, porque les vimos la trampa demasiado pronto... Pero en ese mundo existe un embrujo indudable. El primer día que

---

[18] o el imbécil es uno *or if I'm the imbecile*
[19] creo . . . cierto *I believe I'm in the right*

estuve en casa de Palacios me gustó su biblioteca, su cocinera, su laboratorio y, sobre todo, la fe que tenía en su trabajo... Esa fe y esa ilusión, que nosotros hemos perdido. Yo también, más o menos, vivía antes así.

SEBASTIÁN. —Y yo... Y tú, Juan.

JUAN. —Pero era a fuerza de lucha, de desengaños, de maldad, de envidia... ¿Lo has olvidado, Sebastián? A ti te traicionó tu propio hermano.

SEBASTIÁN. —No hablemos de aquello, que está olvidado.

VIDAL. —Tienes razón... La tarde es buena y corre brisa fresca... Vamos a dar un paseo hasta el final del muelle, y después jugaremos nuestra partida. ¿Tú vienes, Juan?

JUAN. —Sí, claro. ¿Por qué no?

VIDAL. —Pues anda, ponte esa gorra tan fea que te has comprado.

SEBASTIÁN. —¡Es verdad! ¿Pero cómo es posible que se te haya ocurrido comprarte una gorra tan horrible?

JUAN. —A mi me gusta mucho, Sebastián... ¿Vamos?

(*Llaman a la puerta. Abre* JUAN. *Entra* PALACIOS, *nervioso y triste.*)

JUAN. —¡Doctor!

PALACIOS. —Hola, Juan... ¿Cómo estáis todos?

VIDAL. —¿Qué te pasa, Palacios?

PALACIOS. —No, nada. No tiene importancia... ¿Y mi hija?

JUAN. —Ha venido a buscarla Manríquez de su parte. La ha llevado a ese cocktail que le dan a usted.

VIDAL. —Se acaban de marchar ahora.

PALACIOS. —Manríquez es un pequeño miserable. Él sabía muy bien que yo no iría a esa fiesta.

JUAN. —No entiendo...

PALACIOS. —Es a él a quien se la dan. Yo poco a poco ya no pinto nada.[20]

---

[20] Yo poco . . . nada. *Little by little I'm no longer involved.*

Vidal. —¿En qué no pintas nada?

Palacios. —En ese condenado invento. Le dejé firmar la Memoria. Después se ha hecho publicar interviús y retratos en los periódicos y hasta ha dado conferencias sobre mi invento, sin saberlo yo... Y ahora resulta que yo soy un mindundi y que él es un genio.

Juan. —Pero lo de la fiesta de esta tarde...

Palacios. —Todo se lo ha organizado él... Y como yo no pensaba ir, habrá venido a buscar a Irene para que figure alguien de la familia y que la cosa no sea tan descarada.

Vidal. —Pero, ¿cómo la gente no se da cuenta de esta superchería?

Palacios. —La gente no se entera nunca de nada. Como da conferencias y sabe hablar en términos científicos que no entiende nadie, por eso le admiran... Y como yo hablo normalmente, como todo el mundo, se creen que les estoy contando un chascarrillo y no me hacen caso... Está visto que yo sólo sirvo para estar encerrado dieciséis horas en mi laboratorio y no alternar con nadie.

Juan. —Y al no verle allí, ¿por qué no vuelve?

Palacios. —Qué sé yo, Juan.

Juan. —Voy a ir a buscarla.

Sebastián. —Aún es pronto para que vuelva... Acaban de marcharse.

Juan. —Pero la cosa está cerca y han ido en coche... Y yo tengo deseos de pegar a Manríquez.

Vidal. —Vamos, Juan... Espera... ¿Qué disparate es ese de pegar a nadie? ¿Estás loco?

Palacios. —Quédate, Juan. Te lo suplico.

Juan. —Desde hace tiempo le tengo ganas a ese tipo.[21]

Vidal. —Nada ni nadie puede hacernos perder la tranquilidad. Anda, siéntate y no estropees las cosas.

Palacios. —Pensar que yo le he hecho hombre cuando él no era nada... Siempre me porté bien con él... Soy su amigo...

---

[21] Desde . . . tipo. *I've had it in for that fellow for a long time.*

SEBASTIÁN.—No debe usted preocuparse. Todas las personas inteligentes están a su lado.

PALACIOS.—¿Y cómo no va a preocuparme si somos tan pocos?

JUAN.—Después de todo, creo que le estamos dando demasiada importancia a todo este asunto y que no merece entristecerse por tan poca cosa. Cuando usted llegó, íbamos a dar un paseo hasta el final del muelle para respirar el aire fresco. ¿Quiere usted acompañarnos?

PALACIOS.—Antes querría pedirte un favor, Juan... ¿No podría vivir una temporada aquí con vosotros?

JUAN.—¿Cuándo? ¿Ahora?

PALACIOS.—Sí, ahora.

VIDAL.—¿Pero y tu viaje a América?

PALACIOS.—He decidido quedarme. ¿Qué pinto yo a mi edad en América?[22] Me encuentro un poco viejo para estos viajes... Estoy cansado y he pensado además, que en lugar de vivir en aquel caserón grandote y triste, lleno de libros y de papelotes, estaría mejor con vosotros... Este balcón frente al mar me gusta tanto...

JUAN.—Pero aquí no encontrará usted comodidades.

PALACIOS.—¿Y a mí qué me importan las comodidades?

JUAN.—¿Le gusta entonces esta habitación?

PALACIOS.—Me encanta.

JUAN.—Pues ahora mismo se la preparamos.

VIDAL.—Venga. ¿Qué tenemos que hacer?

JUAN.—Buscar una cama en primer lugar.

SEBASTIÁN.—De acuerdo... Yo me encargo de ir a buscarla.

JUAN.—¿A dónde?

SEBASTIÁN.—Adonde sea. En cinco minutos está aquí la cama. Y una mesita de noche. Y una alfombra... Hasta ahora mismo.

(*Y hace mutis por la puerta de la escalera.*)

---

[22] ¿Qué pinto . . . América? *What would I do at my age in America?*

PALACIOS. —¡Pero yo no necesito tantas cosas!

JUAN. —Vamos a prepararle la habitación más bonita que ha tenido usted nunca.

VIDAL. —Yo me encargaré de la colcha, de los pañitos para las butacas y de los aparatos de luz.

PALACIOS. —¡Pero no debes molestarte!

VIDAL. —(*A* JUAN.) Tú, mientras, vete quitando tonterías de las paredes y guarda ese cuadro de Sebastián, que ocupa mucho sitio.

JUAN. —No te preocupes. Esto queda vacío en un segundo.

PALACIOS. —¡Pero va a ser demasiado! No tengo tanta prisa, además...

VIDAL. —Cállate, demonio... Vuelvo en seguida.

(*Y al ir a salir, se encuentra con* IRENE, *que entra.* JUAN *empieza a quitar cosas de las paredes y a meterlas por la puerta de la derecha.*)

Hasta ahora mismo, Irene.[23]

(*Y* VIDAL *hace mutis.* IRENE *besa a su padre.*)

IRENE. —Hola, papá... ¿Es verdad lo que me ha dicho Sebastián?

PALACIOS. —¿Qué te ha dicho, hija?

IRENE. —Que te quedas aquí.

PALACIOS. —Pues, sí... Si no te importa.

JUAN. —Vamos a habilitarle esto para alcoba.

IRENE. —¿Por qué no has ido a la despedida que te daban?

PALACIOS. —No era a mí a quien querían despedir, sino a Manríquez.

IRENE. —Emilio me ha explicado todo... Y no tienes razón. Te has hecho susceptible y maniático...

JUAN. —¿Es que vas a defender a ese hombre?

PALACIOS. —No juega limpio, Irene.

---

[23] Hasta . . . Irene. *I'll see you very soon, Irene.*

IRENE. —Es natural que él tenga ambiciones y quiera destacar...
Y es absurdo que tú, después de tanto trabajo y tanto sacrificio,
renuncies ahora a todo... No puedes hacer eso... Tienes que
seguir hasta el final.

JUAN. —No debes hablar en ese tono, Irene.

IRENE. —¿Y por qué no? Quiero la fama para mi padre, puesto
que la merece. A estas alturas no puede enfadarse como un
niño y encerrarse en esta habitación.

JUAN. —Aunque trates de disimularlo, tú también eres ambiciosa.

IRENE. —Yo no lo soy. No quiero nada para mí. Pero mi padre debe
obtener el triunfo que merece. Y si él no quiere hacer ese viaje,
yo iré con Manríquez, para defender sus intereses y su nombre.

JUAN. —¿Qué estás diciendo?

IRENE. —Lo que oyes, Juan.

PALACIOS. —Pero, Irene...

IRENE. —¡Ya está bien de violines y de grúas, y de sirenas y de
escándalos en la vecindad! ¡Ya está bien de filosofías que no
conducen a ninguna parte! ¡Pero mi sacrificio y mi paciencia
tienen un límite cuando se trata de defender un trabajo de
muchos años que no se puede tirar a la calle por el capricho de
unos perezosos!

JUAN. —¡Irene!

PALACIOS. —Pero, hija...

IRENE. —¡Dejadme en paz!

> (*Y entra llorando en su habitación, que cierra de un
> portazo.*)

PALACIOS. —Está muy nerviosa... Debes perdonarla.

JUAN. —Claro que sí... En esas fiestas deben dar champán seguramente.

PALACIOS. —Y combinados... A pesar de las hierbas del viajante,
a mí los combinados me sientan como un tiro.[24]

---

[24] me sientan como un tiro *go down like lead*

JUAN. —No es extraño entonces que se haya puesto así.

(*Por la puerta de la escalera, que ha quedado abierta, entra* VIDAL *con un aparato de luz y un tapetito.*)

VIDAL. —Mi amiga la viuda del piso de abajo me ha prestado este aparato para que puedas leer en la casa, y este tapetito para poner encima de la mesilla de noche... ¿Te gusta?
PALACIOS. —Muchísimo, Vidal.
JUAN. —El aparato ese es precioso.
VIDAL. —A mí me hubiera gustado que el pañito tuviera unos encajes, pero parece que ahora no se llevan los encajes.

(*Y entra ahora* SEBASTIÁN *con una mesita de noche.*)

SEBASTIÁN. —Aquí traigo la mesita de noche. Es isabelina. Y la cama la subiré ahora.
PALACIOS. —Es una monada. Donde esté lo isabelino...[25]
JUAN. —Anda, deja ahí todo eso y ayúdame a quitar el caballete.
VIDAL. —Yo ayudaré también...
SEBASTIÁN. —¿Dónde está Irene?
JUAN. —En su habitación... Ha tomado un combinado en esa fiesta y se le ha subido a la cabeza.
VIDAL. —Durmiendo se le pasará.
JUAN. —Por eso, no hagáis mucho ruido... Vamos, ayudadme a llevar esto con cuidado... En silencio, para que no se vaya a despertar...

(*Y entre los tres cogen el caballete y lo lleven hacia un rincón, mientras baja el*)

TELÓN

---

[25] Donde esté lo isabelino. *Wherever you have period furniture.* (*See* Vocabulary)

Cuadro Segundo

La misma decoración. El cuarto de estar de casa de Juan, ha sido habilitado para alcoba del doctor Palacios y a la izquierda, al foro, vemos una cama de estilo, medio oculta por un artístico biombo, una original mesilla de noche con su lámpara para leer y algunos muebles y cuadros que había antes han sido sustituídos por otros, sin que por ello la habitación haya perdido su encanto y personalidad. Es la caída de la tarde, el balcón sigue abierto de par en par.

> (*Cuando se alza la cortina, vemos al* DOCTOR PALACIOS
> *sentado en el suelo o en un pequeño taburete preparando,*
> *ante una cesta, su aparejo y bártulos de pesca. El* PROFESOR
> VIDAL *le da instrucciones al mismo tiempo que fisga por*
> *la habitación y arregla a su gusto algún detalle del cuarto*
> *de cuya instalación hecha por él, se siente orgulloso.*)

VIDAL. —¿Ves lo bien que queda este cuadro nuevo que te traje ayer?

PALACIOS. —Sí. Queda precioso... Me gusta muchísimo.

VIDAL. —Ten cuidado con los anzuelos, no te vayas a clavar alguno.[26]

PALACIOS. —¿Crees acaso que no sé manejar anzuelos? ¡Como si yo no hubiese pescado nunca! ¡Pues la otra tarde pesqué más panchos que todos vosotros.

VIDAL. —Bueno, por si acaso, ándate con ojo...[27] ¡Ah! Este pañito de la mesilla de noche te lo tengo que cambiar... No te va bien a ti.

PALACIOS. —Pues a mí me gusta.

VIDAL. —Pero yo entiendo mucho de pañitos y sé lo que va bien y lo que va mal... Y mientras encuentro otro, lo voy a poner

---

[26] no te . . . alguno *be careful not to hook yourself with one of those*
[27] Bueno . . . ojo. *Well, just in case, proceed cautiously.*

sobre esta butaca. ¿Ves? Mira. Aquí queda mucho mejor... ¿Qué te parece?

PALACIOS. —(*Distraído con sus bártulos sin mirar.*) Sí. Ahí está muy bien. Hace muy fino.[28]

VIDAL. —(*Sentándose en la cama.*) ¿El colchón es blando?

PALACIOS. —Blandísimo.

VIDAL. —Si no es bastante blando, voy a casa de mi amigo el colchonero y te lo cambia por otro que le está haciendo a un capellán.

PALACIOS. —No tiene que cambiarme nada. Duermo ahora mejor que nunca.

VIDAL. —Bueno, pues me alegro... Eso es lo que a ti te estaba haciendo falta.

PALACIOS. —Oye una cosa... ¿Tú crees que tendremos bastantes lombrices con las que llevamos?

VIDAL. —De sobra. Para lo que vamos a pescar...

PALACIOS. —¿Por qué te empeñas siempre en ser pesimista en asuntos de pesca?

VIDAL. —No soy pesimista. Pero creo que a los peces no les gustan nada las lombrices. Si les gustaran, vendrían aquí a comérselas.

PALACIOS. —Si sigues diciendo tonterías, cojo el barco y me voy a América.

VIDAL. —Bueno, me callaré.

PALACIOS. —¿Y Juan? ¿Por qué no viene?

VIDAL. —Está preparando la lancha.

PALACIOS. —Cada vez me divierte más esta idea de que nosotros nos vayamos a pescar congrios en la lancha de Juan, a la misma hora que sale el barco para América con Manríquez... ¿Verdad que da risa?

VIDAL. —La idea ha sido mía... No puedo reírme de mis propias gracias.

PALACIOS. —¿Te has asomado a ver el barco? Está atracado ahí, en el puerto, casi enfrente de casa.

---

[28] Hace muy fino. *It looks very refined.*

VIDAL. —No he tenido tiempo de asomarme.

PALACIOS. —Pues asómate... No creo que el balcón te pille tan lejos.[29]

VIDAL. —¿Qué más me da a mí, si no voy a ir en él? ¿Cómo es? ¿Grande?

PALACIOS. —Muy hermoso. Todo blanco.

VIDAL. —Me alegro que sea blanco. Así, en el mar, desde muy lejos, hará bonito.[30]

PALACIOS. —Zarpa dentro de una media hora.

VIDAL. —¿Y Manríquez? ¿No ha venido a buscarte?

PALACIOS. —No. A lo mejor como es tonto, cree que me decido a ir en el último momento.

VIDAL. —¿Desde aquello de la fiesta no le has vuelto a ver?

PALACIOS. —No ha venido. Debe de estar enfadado.

VIDAL. —¿Y cómo le confías todas las fórmulas y las pruebas científicas de tu droga?

PALACIOS. —A mí ese invento ya me importa un comino...[31] Desde que estoy aquí he comprendido que eso de no dormir es una bobada; y además, últimamente, empecé a recibir anónimos, y me amenazaban y me ponían verde por teléfono.[32]

VIDAL. —¿Quién te ponía verde?

PALACIOS. —Pues yo sospecho que los fabricantes de camas y colchones. Siempre que inventa uno algo nuevo sucede igual. Se le hace la pascua a alguien que vive de lo viejo...[33] Por eso lo mejor es estarse quieto y no decir ni pío.[34]

(Y *se levanta de su sitio una vez que ha dejado en orden sus bártulos.*)

Oye una cosa... ¿Sabes que es raro que no haya vuelto Irene?

---

[29] No creo . . . lejos. *I don't think the balcony is far out of your way.*
[30] hará bonito *it will look pretty*
[31] A mí . . . comino. *I wouldn't give a fig for my invention now.*
[32] me ponían . . . teléfono *they cursed at me over the phone*
[33] Se le . . . viejo. *It messes up anyone who lives from old things.*
[34] y no decir ni pío *and don't say boo*

VIDAL. —¿A dónde fue?

PALACIOS. —Dijo que a encargar unas cosas a la tienda... Pero hace
más de dos horas que ha salido y ya debía estar aquí.

VIDAL. —¿Se le pasó el disgusto con Juan?

PALACIOS. —No estoy muy seguro... Después de aquella discusión, la noto siempre un poco inquieta... Aquella actitud suya
no me gustó nada.

VIDAL. —No te preocupes. Todo marchará bien... Háblame de
esa otra fórmula que tienes entre manos.

PALACIOS. —Se trata de hacerse viejecito a los cuarenta años, con
barba blanca y bastón y todo... Ahora la juventud dura demasiado y eso es lo que está haciendo cisco a la humanidad. Con
mi nueva fórmula no se tendrán achaques y la vida será más
larga; pero, en cambio, se acortará el período de la madurez,
que es cuando se cometen más simplezas.

VIDAL. —No comprendo bien ese asunto.

PALACIOS. —Pues es muy sencillo, caramba. A los cuarenta años y
basándome en un simple preparado de hormonas, los hombres
se comportarán como si tuviesen ochenta y, por lo tanto, ya
todo les importará tres pitos[35] y no se llevarán disgustos ni
tendrán inquietudes, y el corazón y el hígado y los nervios
trabajarán menos, con lo cual no habrá apenas desgastes y se
vivirá más.

VIDAL. —Sí. Eso está bien traído...[36]

PALACIOS. —Con mi nueva droga sólo se tendrá una vida activa
hasta los cuarenta años. Después la gente se tranquilizará,
empezará a morirse de risa por todo y sólo le gustará tomar el
sol y comer pasteles... Y así hasta los cien años.

VIDAL. —¿Y has hecho ya algún esperimento?

PALACIOS. —Hace algún tiempo, con cachorros de perros... A los
cuatro días de tratamiento empezaron a ser más golosos, y más

---

[35] ya todo . . . pitos *then everything won't matter a bit*
[36] Eso . . . traído. *That's a good idea.*

dóciles y a no ladrar... Esto quiere decir que pensaron: "¿Para qué me voy a molestar en ladrar y en enfadarme, que es una tontería?"

VIDAL. —Pero siendo así, cuando vean un ladrón...

PALACIOS. —Yo no creo en los ladrones. Desde que vivo aquí, he quitado la cerradura de la puerta, para no levantarme de la cama si viene alguien... Y todavía no he visto entrar ningún ladrón. ¿Pero esta chica cómo no vuelve? ¿Sabes que estoy impaciente?

VIDAL. —No te preocupes.

PALACIOS. —(*Cambiando de tono.*) Tú estás más preocupado que yo, Vidal... ¿Crees que no me he dado cuenta de que tratas de distraerme con esta conversación sobre mis drogas que a ti te tiene sin cuidado?...[37]

VIDAL. —Sí, Palacios... Es muy raro que Irene no vuelva... Estoy un poco inquieto.

PALACIOS. —Manríquez empezó a hablarle de lujos, de fiestas, de viajes y de todo lo que ella dejó por casarse con Juan... Y hablarle así a una mujer, después de los primeros meses de matrimonio, es peligroso... De diez, pican nueve.[38]

VIDAL. —No pensemos en eso... ¿Tienes todo preparado?

PALACIOS. —Sí. Ya está todo dispuesto.

VIDAL. —Pues vámonos al bar... Estaremos mejor que aquí.

(*Y cuando* PALACIOS *ha cogido la cesta, empujan la puerta de la escalera y entra* JUAN.)

JUAN. —Hola.

PALACIOS. —Hola, Juan. ¿Preparaste la lancha?

JUAN. —Sí. Ya está todo listo.

PALACIOS. —Estábamos esperando a Irene, que no tardará en

---

[37] que a ti ... cuidado *which don't matter to you*
[38] De diez, pican nueve. *Nine out of ten take the bait.*

volver... Supongo que se habrá entretenido en algún sitio...
¿Tú la has visto por casualidad?

JUAN. —Sí, claro... Acabo de estar con ella en la calle.

PALACIOS. —¡Pues ya podía haber subido aquí! Me tenía preocupado.

JUAN. —¿Por qué? ¡Qué tontería! Ande, profesor... Vaya usted
bajando al bar y allá nos reuniremos todos... Nos tienen preparada una buena merienda para antes de embarcar.

PALACIOS. —Bueno, pues me voy... ¿Vienes tú, Vidal?

JUAN. —Baje usted antes, profesor... Vidal tiene que ayudarme a
preparar algunas cosas.

PALACIOS. —No tardéis mucho... Os espero allí.

(Y *hace mutis con sus bártulos de pesca.* VIDAL, *que ha
estado observando a* JUAN, *le dice ahora.*)

VIDAL. —No la has visto, ¿verdad?

JUAN. —No la encuentro por ninguna parte... Dijo que iba a comprar unas cosas por el barrio, pero no la han visto en ningún sitio.

VIDAL. —¿Qué crees tú?

JUAN. —No creo nada. Tengo miedo... Manríquez no ha venido
ni ha devuelto el pasaje del profesor...

VIDAL. —Esperará que Palacios vaya con él en el último momento.

JUAN. —¿Y si va ella en su lugar? Me lo dijo cuando discutimos...
Y después de aquello ha cambiado mucho... Tengo miedo que
se vaya, Vidal.

VIDAL. —Puedes impedirlo. Estás en tu derecho.

JUAN. —¿A la fuerza? ¿Crees que por la fuerza se consigue algo?
No son estas nuestras teorías ni nuestra manera de pensar...
Tú mismo, aquel día de la fiesta, me impediste que fuera a
buscarla.

VIDAL. —A veces hay que renunciar a las propias teorías y pensar
de otro modo.

JUAN. —¿Y volver de nuevo a la lucha, al combate, a la fuerza o
la intriga?

VIDAL. —Todo depende de lo que se quiera defender... Y defender tu felicidad vale la pena... Hay cosas que sí vale la pena defender.

JUAN. —¿Qué debo hacer entonces?

VIDAL. —Tú eres el que debes decidirlo...

JUAN. —Vete con Palacios. No quiero que él se dé cuenta de nada... Acompáñale hasta que yo vaya. Dile que Irene ya está aquí.

VIDAL. —¿Y Sebastián?

JUAN. —Supongo que se reunirá ahora con vosotros. Anda, vete... Perdóname, pero prefiero estar solo.

VIDAL. —Adiós, Juan.

JUAN. —Adiós, profesor.

(VIDAL *hace mutis. Queda solo* JUAN. *Se sienta, deprimido. El ruido de fondo aumenta. Suena fuerte una radio y un violín... Y la sirena de un barco. Se tapa los oídos, desesperado, como anteriormente hizo* IRENE, *y al fin va al balcón que cierra de un portazo. Después se dirige a la izquierda y golpea en la pared mientras llama.*)

¡Luisa! ¡Luisa!

(Y *se oye la voz de* LUISA *a través del tabique.*)

LUISA. —¿Quieres algo, Juan?

JUAN. —¿Has visto a Irene?

LUISA. —No, Juan.

JUAN. —¿No ha entrado en tu casa? ¿No la han llamado por teléfono?

LUISA. —No. ¿Por qué?

JUAN. —¿Quieres hacerme un favor?

LUISA. —Sí, claro.

JUAN. —Llama por teléfono a casa del doctor Palacios... Puede que haya ido allí.

Luisa. —Bueno. Llamaré en seguida.

Juan. —Gracias.

(Y Juan *vuelve a pasear inquieto, hasta que dan unos golpecitos en la puerta y entra* Manríquez.)

Manríquez. — Buenas tardes.

Juan. —¿A qué viene usted aquí?

Manríquez. —A buscar al doctor Palacios... El barco sale dentro de unos minutos y él no ha ido ni ha enviado su equipaje.

Juan. —El doctor Palacios no irá.

Manríquez. —Pero eso es un disparate. Yo esperaba que recapacitase y viniera conmigo, como es lógico.

Juan. —Y si él no va, ¿por qué emprende usted ese viaje?

Manríquez. —No puedo abandonar mi puesto por un capricho suyo. Si él renuncia a la fama y al dinero, yo no tengo por qué renunciar... Los laboratorios americanos esperan mi llegada con las fórmulas para empezar a fabricar la droga... Y si el doctor no va, las llevo yo, puesto que a los dos pertenece.

Juan. —Usted es un vulgar miserable.

Manríquez. —Soy un hombre normal que trabaja.

Juan. —¿Por qué no ha devuelto usted el otro pasaje?

Manríquez. —Está en el barco.

Juan. —¿Y mi mujer dónde está?

Manríquez. —No sé...

(Juan *le coge por las solapas y le zarandea.*)

Juan. —Si lo sabe... Conteste... ¿Qué le ha dicho usted para convencerla y se decida a hacer ese viaje? ¡Vamos! Hable en seguida, o soy capaz de cualquier cosa.

Manríquez. —Nunca pensé que usted...

Juan. —¿Qué pensaba? ¿Que podía usted reírse de mí? ¿Que yo era un cobarde?

(Y *le suelta con desprecio.*)

MANRÍQUEZ. —¡Qué sé yo!... Pero un hombre valiente lucha en la vida como todos luchamos... Hemos nacido para esto.

JUAN. —¿Pero usted cree que vale la pena luchar y defenderse de hombres como usted? Yo me defiendo de lo que es auténtico, de la verdad, de lo que me ataca frente a frente. Pero no de hombres solapados, que atacan por la espalda, para medrar a costa del esfuerzo ajeno.

MANRÍQUEZ. —No es cierto lo que dice.

JUAN. —¿Cree usted que he huído de su mundo por debilidad o por miedo? No. En todo soy más fuerte que usted y los de su calaña. He huído de ese mundo, que conozco bien, por asco y por desprecio.

MANRÍQUEZ. —No he venido a discutir, sino a buscar al doctor Palacios... A liberarle de esta especie de secta de resentidos que ustedes han creado.

(JUAN *le agarra por las solapas, con intención de pegarle. Pero no lo hace. Le dice simplemente:*)

JUAN. —¡Es usted un imbécil!

MANRÍQUEZ. —Usted tendrá la culpa si Irene le abandona.

JUAN. —Puede hacer lo que quiera... Pero váyase, antes que olvide que estoy en mi casa. ¡Vamos! ¡Fuera!

(MANRÍQUEZ, *sin decir nada, va hacia la puerta, en donde acaba de aparecer* LUISA, *que le deja paso.*[39] MANRÍQUEZ *hace mutis y* LUISA *entra.*)

LUISA. —¿Qué ha ocurrido, Juan? Nunca te he visto así.

JUAN. —No tiene importancia... Cosas que suceden sin que uno las busque.

LUISA. —Llamé por teléfono... Irene no ha ido por casa de su padre.

---

[39] que le deja paso *who lets him by*

JUAN. —Bueno... qué le vamos a hacer.

LUISA. —Tienes que buscarla.

JUAN. —No. ¿Para qué? Es inútil.

LUISA. —Ella te quiere y tú también a ella... Pero debes poner algo de tu parte... No debes ser tan egoísta.

JUAN. —¿Otra vez con eso?

LUISA. —Ya no pienso en ti, como antes... Todo pasó y todo lo olvidé... ¡Pero si vieras lo contenta que estoy ahora de que nunca me hicieras caso!... Y mira que lo intenté de todas las maneras. ¡Siempre espiándote cuando subías y bajabas las escaleras!... ¡Y lo que he tenido que coser, noches enteras, hasta la madrugada, para poder poner teléfono y que así entrases alguna vez en casa y yo pasara a la tuya para darte cualquier recado!... Pero ahora soy feliz por haberme curado de aquel amor, porque ahora sé muy bien todos tus defectos. Y tienes muchos, Juan.

JUAN. —¿A qué viene decirme todo eso?[40]

LUISA. —Porque nadie se atreve a decírtelo y es necesario que alguien te lo diga... Tu posición en la vida es falsa, Juan... Puedes combatir todo lo que quieras, pero no la alegría de trabajar en paz y con tu trabajo proporcionar un poco de ilusión a los que te rodean... Yo no soy ambiciosa. No pienso en tener una gran casa de modas ni en hacerme rica con mi costura. Pero sé que con mi trabajo diario, siempre en mi puesto, puedo darles de vez en cuando una satisfacción a los míos y eso me basta... Tú ya no vives solo, Juan... Hay una mujer que te acompaña y que te quiere, y si tú la quieres también, debes demostrárselo.

JUAN. —Quisiera estar solo, pequeña.

LUISA. —¿No vas a buscarla?

JUAN. —No.

(*Se oye la sirena de un barco.*)

---

[40] ¿A qué . . . eso? *Why are you telling me all this?*

¿Oyes la sirena? Es la de su barco... Dentro de unos segundos zarpará.

LUISA. —¿Qué vas a hacer?

JUAN. —Lo que he hecho siempre... Fumar una pipa frente al balcón... Quedarme quieto mientras van y vienen los demás... Bajar luego al bar y hablar con los amigos.

LUISA. —¿Quieres alguna cosa?

JUAN. —Gracias por todo... Adiós.

LUISA. —Adiós, Juan.

> (Y *hace mutis por la izquierda.* JUAN *queda solo. Abre el balcón. Ya es casi de noche. Enciende una pipa y se sienta en una butaca, frente al balcón. Se oye de nuevo la sirena del barco. Se escucha en el violín de siempre un tema sentimental. Y pocos momentos después entra* IRENE. *Sin decir nada se sienta en el diván. Después habla.*)

IRENE. —Hola, ratón...

> (JUAN *se vuelve. Va hacia ella. Se sienta a su lado.*)

JUAN. —Hola, Irene.

IRENE. —Perdóname... Pasé mi última crisis... Pero ya estoy curada.

JUAN. —¿Dónde has estado?

IRENE. —Con Sebastián, en el camarote de Manríquez. Muy lujoso, ¿sabes? Alfombras de nudo, lámparas de bronce, pinturas murales... Todo lo que te diga es poco.[41]

JUAN. —Termina... ¿A qué fuiste allí?

IRENE. —A acompañar a Sebastián... No sólo sabe robar perros. Igual que los espías, roba también fórmulas químicas y documentos de gran interés.

---

[41] Todo lo . . . poco. *All I'm telling you falls short.*

JUAN. —¿Qué quieres decir?

IRENE. —Que esas fórmulas y esos documentos ahora están en el fondo del mar.

JUAN. —¡Irene!

IRENE. —Pensé a última hora que es estúpido que la gente no duerma en Norteamérica, ni aquí...

(*Echa su cabeza sobre el hombro de* JUAN.)

¡Se pasa tan bien durmiendo sobre un hombro de Juan!

(JUAN, *emocionado, no sabe qué decir.*)

¿Qué te pasa?

JUAN. —No, nada... Es que estaba esperando que llegases para darte una noticia... Pasé esta tarde casualmente por la tienda esa, donde venden la nevera eléctrica... La he comprado y ahora la traerán.

IRENE. —¡Pero, Juan! ¡Cuesta mucho dinero!

JUAN. —Mientras esté aquí tu padre, siempre hay que tener provisiones en casa y nos será muy útil... Además me han convencido en el barrio para que ocupe el puesto que dejó vacante el médico que murió... No ganaré mucho pero sí lo suficiente para que tú vivas un poco más cómoda... Y aunque ese puesto me dé bastante trabajo, poco a poco iremos comprando las cosas que nos hacen falta, y además casi me servirá de distracción.

(*Mientras* JUAN *habla,* IRENE *se ha vuelto a echar sobre su hombro y llora en silencio, emocionada. Y* JUAN, *que también lo está, sigue hablando para disimular, mientras le acaricia dulcemente la cabeza.*)

He pensado también que si tenemos mucha clientela, tendremos que buscar otra casa más grande para la consulta y la sala de espera. Pero este rincón lo conservaremos, y de vez en cuando vendremos aquí los dos solos y nos asomaremos al balcón para ver muy juntos los barcos que salen y llegan y escuchar un poco esta algarabía de mi barrio...

(IRENE *sin decir nada, se abraza a él sollozando. Suena la radio y el violín y muy lentamente va cayendo el*)

TELÓN

PREGUNTAS

Acto Primero—Cuadro Primero

PÁGINAS 3–13

1. ¿Qué lugar representa el escenario?
2. ¿Qué tiempo hace?
3. ¿Qué trae Sebastián a la casa?
4. ¿Se dan cuenta los dos hombres de lo que ha pasado por el despacho?
5. ¿Qué hora marca el reloj?
6. ¿Por qué no le hace caso la doncella al doctor Palacios?
7. ¿Por quién pregunta el doctor Palacios?
8. ¿A dónde dijo que iba Irene?
9. ¿En qué manera ha ayudado a su padre?
10. ¿Cuántos perros trae Sebastián?
11. ¿Por qué no ha venido antes Sebastián con los perros?
12. ¿Cuál es la ilusión del doctor Palacios?
13. ¿Al doctor le agrada el amigo de su hija?
14. ¿Por qué no quiere el doctor que su hija se case con el otro?
15. ¿Cómo viste Irene?
16. Según su padre, ¿cómo se está portando Irene?
17. ¿Irene las encuentra agradables a las peluqueras?
18. ¿Por qué quiere ser como ellas?
19. ¿Qué le prohibe a Irene su padre?
20. ¿Por qué no quiere el doctor Palacios que su hija salga con ese hombre?
21. ¿Cuál es el manjar preferido de ese hombre?
22. ¿Dónde pasa la mayoría del tiempo?
23. ¿Qué ambiciones tiene?
24. ¿Cuál es su opinión sobre el trabajo?
25. ¿Qué cosas le fastidian a Juan?
26. ¿Cómo quiere pasarse la vida?

93

27. ¿Qué arreglo tiene Juan para recibir recados por teléfono?
28. ¿Está Juan en casa cuando llama Irene?
29. ¿Cuándo regresará?
30. ¿Qué llevaba Juan cuando salió?

PÁGINAS 13–23

1. ¿Qué tiene Juan en el puerto?
2. ¿Tiene muchos amigos Juan?
3. ¿Qué tal está la salud del doctor Palacios?
4. ¿Ha podido descubrir el doctor una droga para su hígado?
5. ¿Qué quiere hacer Manríquez?
6. ¿Por qué tardan los dos hombres en presentarse?
7. ¿Con quién se hacen muy buenos amigos los dos hombres?
8. ¿Qué le está explicando el hombre a la cocinera?
9. ¿Cómo está vestido Vidal?
10. ¿Qué es lo que lleva en los bolsillos?
11. ¿Por qué debe quitarse Juan el impermeable?
12. ¿Cómo se llama la cocinera?
13. ¿Cuál es la afición de Vidal?
14. ¿Qué le regala a Juan un amigo suyo?
15. ¿Qué piensa Juan de los niños de hoy?
16. ¿Qué pregunta más insistente le hace el doctor Palacios a Juan?
17. Para Juan ¿qué es lo más importante de la vida?
18. En este momento ¿qué desea más en la vida el doctor Palacios?

PÁGINAS 23–33

1. ¿Quién es Cecilia y qué ha hecho Juan por ella?
2. ¿Cuántas pesetas quiere Sebastián por cada perro?
3. ¿Qué opina Juan de las costumbres americanas de hacer negocios?
4. ¿Cuáles son las intenciones de Juan respecto a la hija del doctor?
5. ¿Sobre qué ha hecho un estudio el profesor Vidal?
6. ¿Cuál es la profesión del profesor Vidal?
7. ¿Qué piensa Vidal de la droga de Palacios?
8. ¿Qué poderes tiene la droga que inventó el doctor Palacios?
9. ¿Por qué no ejerce Juan su vocación de médico?
10. ¿A dónde le invitan Juan y Vidal al doctor Palacios?
11. Al encontrarse solo en la escena ¿qué hace Juan?

12. ¿Por cuáles razones no quiere casarse Juan?
13. ¿Qué cálculos económicos ha hecho Juan?
14. ¿Qué propone Irene?
15. ¿Cuál es la reacción de Juan?

Acto Primero—Cuadro Segundo

PÁGINAS 34–42

1. ¿Qué quiere el doctor Palacios que haga Pepita?
2. ¿Qué saca de la cartera Manríquez?
3. ¿Qué quiere Manríquez que haga el doctor Palacios?
4. ¿Qué está preparando Manríquez?
5. ¿Qué quiere Manríquez respecto a la Memoria?
6. ¿Qué ha decidido hacer Irene respecto a sus relaciones con Juan?
7. ¿Le gusta esta decisión al padre de Irene?
8. ¿Qué provecho ha sacado el doctor Palacios con ir al café?
9. ¿Qué dice Palacios de las mujeres?
10. ¿Ha ido todos los días a su Cátedra el doctor Palacios?
11. ¿Qué quiere Manríquez de Irene?
12. ¿Qué proyectos tiene hechos Manríquez.
13. ¿Por qué no le gusta Manríquez a Irene?
14. En ese momento ¿qué anuncia Pepita?

PÁGINAS 43–50

1. ¿De dónde sacó Juan la flor que trae para Irene?
2. Respecto a sus relaciones con Juan ¿qué quiere Irene que hagan los dos?
3. ¿Qué cosa le interesa saber a Irene?
4. ¿Por cuál razón dice Juan que dejó de ejercer su carrera de médico?
5. ¿Es verdad el cuento de Juan?
6. ¿Cómo supo Irene que el cuento de Juan era una mentira?
7. ¿Qué trae consigo el doctor Palacios al entrar en escena?
8. Antes de casarse con Irene ¿qué condiciones pone Juan?
9. ¿Qué hacen los vecinos de la izquierda?
10. ¿Qué hacen los vecinos de la derecha?

11. ¿Qué se oye desde el balcón de la casa de Juan?
12. Después de casado ¿qué no comprará Juan?
13. ¿Acepta Irene las condiciones de Juan?
14. Al fin, ¿deciden casarse?

Acto Segundo—Cuadro Primero

PÁGINAS 51–65

1. ¿Qué cambio de decoración ha habido?
2. ¿Qué está pintando Sebastián en el lienzo?
3. ¿Cómo reacciona Irene a los ruidos de la calle?
4. Al entrar ¿qué lleva puesto Juan?
5. ¿Qué cosa extraordinaria pasó cuando hubo huelga en el puerto?
6. ¿Qué regalo le hizo Juan a Irene?
7. ¿A quién quiere Juan llevar a su casa a vivir con ellos? ¿Por qué?
8. ¿Quién es Luisa?
9. ¿Para qué ha venido Luisa a casa de Irene?
10. ¿Que opinión tiene Luisa del vestido de Irene?
11. ¿A dónde invita Manríquez a Irene?
12. ¿En honor de quién es la fiesta?
13. Describa el barco tal como lo describe Manríquez.
14. ¿Qué opina Irene del pintor de su cuadro?
15. ¿Cuál era la intención de Manríquez al hablar a Irene?

PÁGINAS 65–77

1. ¿Quién entra en escena?
2. ¿Por qué no quieren ir al "cocktail" Juan y el profesor Vidal?
3. ¿A qué ciudades piensa ir Manríquez en los Estados Unidos?
4. ¿Quiénes van al "cocktail"?
5. Los que quedan ¿qué opinan de Manríquez?
6. Al profesor Vidal ¿qué le gustó en casa de Palacios?
7. ¿Fué Palacios a la fiesta que daban en su honor?
8. ¿Cómo pudo engañar a todos Manríquez?
9. ¿Cómo pudo robar el invento Manríquez?
10. Cuando Juan se entera de las acciones de Manríquez ¿qué quiere hacer?

11. ¿Qué quiere hacer Palacios?
12. ¿Qué comodidades le van a traer a Palacios?
13. ¿Qué quiere Irene para su padre?
14. ¿Qué propone hacer Irene?
15. ¿Qué está sucediendo mientras baja el telón?

Acto Segundo—Cuadro Segundo

Páginas 77–91

1. ¿Qué cambio de decoración ha habido?
2. Cuando se alza la cortina ¿qué está haciendo el doctor Palacios?
3. Mientras tanto ¿qué hace Juan?
4. ¿Quién amenaza al doctor Palacios por teléfono?
5. ¿Qué nuevo invento tiene el doctor Palacios?
6. ¿Dónde está Irene?
7. En cuanto a Irene ¿de qué tiene miedo Juan?
8. Estando Juan solo en la escena ¿qué es lo que le molesta?
9. ¿Qué le pide Juan a Luisa a través de la pared?
10. ¿Cómo recibe Juan a Manríquez?
11. ¿Qué revela Irene a Juan?
12. ¿Dónde estuvo Irene?
13. Cuando vuelve a su casa ¿qué le confiesa a Juan?
14. ¿Qué ha hecho Sebastián en el camarote de Manríquez?
15. ¿Cómo se resuelve, por fin, el problema de Juan e Irene?

VOCABULARIO

This vocabulary has been intentionally reduced to minimal lexical content and explanatory information. Only the textual meaning, which may differ from the traditional, is given. In general, words translated in the footnotes are not repeated in the vocabulary. The first 500 words of the Keniston List have been excluded, except for several which have special meaning. Only cognates which might not be recognized by the student (e.g., *estilo*) or which may have other meanings (e.g., *ilusión*) are included.

Nouns ending in *-a, -ción, -sión, -dad, -tad, -tud* are feminine, and those endings in *-o, -dor, -sor, -tor* are masculine, unless otherwise indicated. The gender of all other nouns is given. The only abbreviations used are *f.* for feminine, *m.* for masculine, and *pl.* for plural.

abajo: de — *downstairs*
abrazo *embrace*
abrigo *overcoat*
aburrirse *to become bored*
acabar *to finish*; — de *to have just*
acariciar *to caress*
acaso *perhaps*
acertar *to succeed, hit the mark*
aclarar *to clarify*
acoplar *to be in harmony, match*
acortar *to shorten*
actual *present*
acuerdo: de — *agreed*
acurrucarse *to nestle down*
achaque *m. infirmity*
adorado *beloved*
adorno *frill*
admitir *to accept*
afición *hobby*

agarrar *to grab*
ágilmente *agilely*
agradar *to please*
agradecido *grateful*
aguantar *to tolerate*
ahogar *to drown*
ajeno *another's*
alcanzar *to reach, last*
alcoba *bedroom*
alfiler *m. pin*
alfombra *rug*; — de nudo *knotted rug*
algarabía *clamor*
alhaja *jewel*
alimentarse *to feed on*
alimento *food*
almorzar *to lunch*
alternar *to take turns, be relieved*
amante *m. or f. lover, mistress*
ambición *ambition*

99

ambicionar *to be ambitious*
ambiente *m. surroundings*
amenaza *threat*
amenazar *to threaten*
americana *coat jacket*
amor *m. love*; — propio *conceit*
amplio *ample, wide*
andar *to walk*
anónimo *anonymous* (*letter*)
anormal *abnormal*
anterior *previous*
antesala *waiting room*
anzuelo *fishhook*
aparato: — de luz *lamp, lighting equipment*
aparecer *to appear*
aparejo *tool, equipment*
apariencia *appearance*
apartar *to separate*
apasionante *thrilling*
apellido *surname*
apoyar *to lean*
apresuradamente *hastily*
apresurarse *to hasten*
aprobar *to pass* (*a course*)
aprovechar *to use*
apuro *trouble, plight, difficulty*
arma *weapon*
armario *wardrobe, closet*
aro *hoop*
arranque *m. impulsiveness*
arreglar *to straighten out*
arrepentir *to repent*
arrumaco: hacer —s *to pet, cajole*
ascensor *elevator, lift*
asco *disgust*
asistenta *cleaning woman*
asomar *to lean out, peer*
asombrar *to amaze*
aspaviento *exaggerated gesture*
asunto *affair, matter*

atar *to tie*; sin — *untied*
atareadísimo *very busy*
atemorizado *frightened*
atracar *to tie into a dock*
atrasado: ir — *to be slow*
audaz *daring*
aumentar *to increase*
avergonzarse *to feel ashamed*
avisar *to inform*
ayudante *m. or f. assistant*
ayudar *to help*

baile *m. dance*
balsa *raft*
banco *bench*
barba *beard*
barbilla *chin*
barbita *goatee*
barca *boat*
barrio *neighborhood*
bártulos: — de pesca *fishing gear*
basta *it suffices*
bastante *sufficient, enough*
bastón *m. cane*
bata *smock*
batería *footlights*
belgo *Belgian*
beneficio *benefit, profit*
biólogo *biologist*
biombo *divider screen*
bioquímica *biochemistry*
blando *soft*
bobada *foolish thing*
boda: viaje de — s *honeymoon*
boina *beret*
bolsillo *pocket*
bonito *pretty*; hacer — *to look pretty*
bota *shoe, boot*
brazo *arm*
brisa *breeze*

broma *joke*
bullavesa *bouillabaisse (fish chowder)*
buque *m. ship*
burro *donkey, dolt*
buscar *to seek out, look for*
butaca *armchair*
butacón *m. very large armchair*

caballete *m. easel*
cabello *hair*
cachorro: — de perro *puppy*
cada *each*
caer *to fall*
café *m. tavern, bar*
caída: — de la tarde *nightfall*
calaña *sort, pattern*
cálculo *calculation*
calzar *to put shoes on*
callar *to be quiet*
camarada *m. or f. companion, comrade*
camarote *m. cabin*
cambiar *to exchange*
cambio: en — *on the other hand*
camita *crib*
campanada *ring of a bell*
campanilla: — de la puerta *doorbell*
campeón *m. champion*
cansado *tired*
caña *fishing rod*
capaz *capable*
capellán *m. chaplain*
capricho *caprice, fancy*
carácter *m. personality, demeanor*
cariño *love, affection*
cariñoso *endearing, sweet*
caro *expensive*
cartera *briefcase*
caserón *m. mansion, large house*

caso: hacer — *to pay attention*
cátedra *university lecture hall*
catedrático *professor*
cebolla *onion*
ceder *to give up*
celebridad *renown*
cenar *to have supper*
centenar *m. hundred*
céntimo *cent, hundredth part of a peseta*
cerradura *lock*
cesta *basket*
cesto: — de pescar *fishing creel*
ciego *blind*
cien: — por — *hundred per cent*
ciencia *science*
científico *scientist*
cirugía *surgery*
cisco: hacer — *to bring to ruin*
cita *appointment*
citar *to make an appointment*
clavar *to nail, dig into*
clientela *clientele, patients*
cobarde *m. or f. coward*
cobrar *to charge*
cocer *to cook, boil*
cocina *kitchen*
cocinera *cook*
cocktail: — de despedida *a farewell cocktail party*
coche *m. car, automobile*
colaborador *collaborator, helper*
colcha *blanket*
colchón *m. mattress*
colegio *boarding school*
colgar *to hang up*
combinado *mixed drink*
cómodamente *comfortably*
comodidad *comfort*
cómodo *comfortable*
complacer *to please*

comunicar *to be connected*
condenado *"blessed," "darned"*
conferencia *lecture*
confiar *to entrust*
conforme: estar — *to concur,*
    agree
congrio *conger eel, sea eel*
conmovido *moving, emotional*
conocimiento *acquaintance*
conquistar *to conquer, win*
conseguir *to get, have*
conservar *to keep*
constar *to include, be made up of*
consulta *examining room*
contar *to relate, tell*
convencer *to convince*
convenir *to concern, be of inter-*
    est, agree
corto *short*
corregir *to correct*
corriente *f. draft of air*
coser *to sew*
costado *side, ribs*
costumbre *f. custom*
costura *sewing*
costurera *seamstress*
crecido *grown*
cruzar *to cross*
cuadro *scene, picture*
cualidad *good quality*
cuarto *fourth, foursome;* — de
    estar *living room*
cubierto *covered, wearing; place*
    setting
cucaracha *cockroach*
cuenta: darse — *to notice, be*
    aware of; tener en — *to keep*
    in mind
cuerda *rope*
cuero *leather*
cuerpo: a — *without an overcoat*

cuidar *to care, be concerned*
    with
culpa *blame*
cultivo *bacteria culture*
cumplir *to reach, complete*
curiosear *to pry*
curso *class, course, school year*

chalado *light-brained*
champán *m. champagne*
chaqueta *jacket*
charlar *to chat*
chascarrillo *joke*
chófer *m. chauffeur*
chorizo *sausage*
chulería *effrontery, impudence*

daño *harm, damage*
datos *data*
decente *well-behaved, respectable,*
    decorous
declarar *to make known, make a*
    declaration of love
decoración *stage set*
dedicarse *to be devoted to, inter-*
    ested in
dedo *finger*
dejar: — de *to stop*
demonio *devil; darn it!*
deporte *m. sport*
deprimido *depressed*
derecha *right*
descansar *to rest*
descansillo *landing*
descanso *rest*
descarado *brazen (person), out-*
    rageous
descubrimiento *discovery, inven-*
    tion
descuidado *careless*
desengaño *deception, deceit*

desenvolver *to relax, open up*
desesperadamente *desperately*
desgarrado *heart-rending*
desgaste m. *waste*
desgraciado *unfortunate,*
unhappy
deshojar *to pluck*
deslumbrado *dazzled*
despacho *office*
desperezar *to yawn*
desprecio *disdain*
destacar *to stand out*
detalladamente *in detail*
determinado *particular, determi-*
ness
devolver *to give back*
¡diablo! *darn it!*
diábolo *a game of balancing and*
spinning an hourglass-shaped
top on a string fastened to the
ends of two sticks
diariamente *daily*
dichoso *fortunate*
digerir *to digest*
dinero *money*
disculpar *to excuse*
discutir *to argue*
disgustado *displeased*
disgusto *chagrin, dissatisfaction*
disimular *to cover up*
disparate m. *nonsense, foolish-*
ness
disposición *disposal*
dispuesto *ready*
disputar *to dispute, contend*
distinto *different*
diván m. *davenport*
divertido *funny, entertaining*
divertirse *to have a good time*
doler *to pain*
dolor m. *anguish, pain*

doncella *maid*
droga *drug, medicine*
durar *to last*
duro *five* pesetas

echar: — de menos *to miss;* — se
to take on
edad *age*
educación *upbringing*
eficaz *effective*
ejercer *to practice*
elegir *to select, pick out*
embarazoso *embarrassing*
embarcado *on ship, by ship*
embrujo *bewitchment*
emitir *to emit, put forth*
emocionado *emotionally moved*
empeñar *to insist*
emplear *to use*
empleo *employment*
empujar *to push*
enamorado *in love*
encaje m. *lace*
encantar *to charm, delight*
encanto *charm*
encararse *to face*
encargar *to order, charge, take*
charge
encendido *lighted*
encerrado *closed, locked up*
encerrar *to close, enclose*
enérgico *energetically*
enfadado *angry*
enfadarse *to become angry*
enfado *anger*
enfermar: — de corazón *to have*
heart trouble
enfermizo *sickly*
enfermo *sick person;* — de gravedad *seriously ill*
enfrente (de) *in front (of)*

engañar *to deceive*
enjugar *to dry*
enloquecer *to be crazy about*
ensimismado *withdrawn*
enterar *to find out*
entero *entire, complete*
entretener *to keep waiting, entertain, waylay*
entristecer *to sadden*
enviar *to send*
envidia *envy*
época *epoch*
equipaje *m. baggage*
equipo *equipment*
escalera *staircase*
escándalo *scandal*
escena *stage*
esconder *to hide*
escote *m. décolletage*
escuchar *to hear*
esfuerzo *effort*
espabilarse *to be wide awake, alert*
espalda: de —s *with back turned*; por la — *from the back*
espantoso *frightening, horrible*
especie *f. species, kind*
espectador *viewer, audience*
espiar *to spy*
esquina *street corner*
estafador *swindler*
estantería *shelving*
estar bien: ya está bien de *I've had enough of*
estilo: cama de — *period-style bed*
estirar *to stretch out*
estrechar *to shake (hands)*
estrenar *to make one's debut*
estropear *to break, damage*
evadido: — de presidio *jail breaker*
exigir *to demand*

éxito *success*
experiencia *experiment*
explicar *to explain*
extranjero: al — *abroad*
extraño *strange, out of place*

fábrica *factory, plant*
Facultad *university, college, faculty, school*
falda *skirt*
falta: hacer — *to need, lack*
faltar *to pass away*
fama *fame*
fastidiar *to vex, annoy*
fatiga *fatigue*
fe *f. faith*
felicidad *happiness*
feo *ugly*
figurar *to appear, picture, imagine*
fijarse en *to notice*
fino *refined*
fisgar *to nose about*
flor *f. flower*
folleto *folder*
fondo *depth, background*; en el — *down deep*
formal *responsible, reliable*
formalidad *responsibility*
foro: al — *upstage*
fortuna *wealth*
fracasado *failure*
frecuentar *to frequent, patronize*
frenar *to hold back*
frente a *facing*
fuerza *force*; a la — *by force*
fumar *to smoke*

gafas *eyeglasses*
galerada *galley proof*
ganar *to win, profit*
gastar *to waste*

gato *cat*
genio *disposition*
gesto *gesture*
goloso *fond of sweets*
golpear *to knock*
gordo *fat*
gorra: — de cuadros *checkered cap*
gozoso *overjoyed, joyful*
grabado *engraved illustration, print*
gracia *wit*
gracioso *funny*
grave *serious*
grillo *cricket*
gris *gray*
gritar *to yell*
grúa *crane*
grueso *corpulent, plump*
guapito *cutie*
guapo *good-looking*
gusto *taste*

habilitar *to set up, equip*
habitación *room*
hacer: — caso *to pay attention;* hace años *years ago*
hada: cuento de —s *fairy tale*
hierba *herb*
hígado *liver*
historia *story, tale*
holgazán *m. do-nothing, loafer*
hombro *shoulder*
huelga *strike*
huérfano *orphan*
hueso *bone*
huir *to flee*
humildad *humility*
humilde *humble*

igual *likewise*
igualar *to be equal*

ilusión *illusion, dream*
impedir *to prevent*
impermeable *m. raincoat*
importar *to mind*
imprenta *press*
impropio *unbecoming*
inadmisible *unacceptable*
incomodar *to bring discomfort*
indignado *indignant, irate*
indudable *indubitable, unquestionable*
inquieto *restless*
inquietud *restlessness*
insensato *nonsensical, thoughtless*
interés *m. vested interests, personal gain*
interminable *unending*
interrogatorio *interrogation*
interviú *m. interview*
invento *invention*
isabelino *in the style of Queen Isabel II (latter half 19th century), Victorian*
izquierda *left*

jardín *m. garden*
jaula *cage*
juguete *m. toy*
juicioso *judicious*
junto *together*
justamente *precisely*
juventud *youth*

lado *side*
ladrar *to bark*
ladrón *m. thief*
lancha *rowboat*
largo *long*
lástima *shame*
lata: dar la — *to annoy*
lechuga *lettuce*

letra *type* (*printer's*)
liberar *to free*
librería *library*
licenciarse *to graduate*
lienzo *canvas*
limpio *clean*; jugar — *to play fair*
liquidar *to liquidate, resolve*
listo *mentally alert, ready*
lograr *to succeed*
lombriz *f. worm*
luchar *to struggle*
luego: desde — *of course*
lugar: en — de *instead of*
lujo *luxury*
luna *large mirror*

llanto *crying*
lleno *full*
llevar *to wear, take away*
llorar *to cry*

madrugada *early morning*
madrugador *early riser*
madurez *f. maturity*
maldad *evil*
malo *the bad "guy"*
maltratar *to maltreat*
malvado *evil*
manchar *to soil, dirty*
mandar *to order*
mandíbula *jaw*
manejar *to handle*
manga *sleeve*
maniático *cranky*
manjar *m. food*
mar: — de cosas *many things*
marcar *to dial*
marfil *m. ivory*
margarita *daisy*

marinero *marine, sailor*
matar *to kill*
medalla *medal*
médico *doctor, medical*
medrar *to thrive*
mejor: a lo — *probably*
memoria *report, treatise*
mentir *to lie*
mentira *falsehood*
merecer *to deserve*
merendar *to have a snack*
merienda *snack*
milagroso *miraculous*
mindundi *m. Mr. Nobody*
modista *dressmaker*
mojado *wet*
molestar *to annoy, bother*
monada *pretty thing*
monigote *m. paper doll, wall scribblings*
mono *cute*
mosca *fly*
mudar *to move* (*residence*)
muebles *m. pl. furniture*
muelle *m. dock, wharf*
multa *fine*
mutis: hacer — *to exit*

nacer *to be born*
náufrago *shipwrecked person*
negar *to deny*
negocio *business*
nerviosismo *nervousness*
nevera *refrigerator*
noctámbulo *night walker*
nota *mark, grade*
noticia *bit of news*
novillos: hacer — *to play hooky*
novio *fiancé*
nube *f. cloud*

objeto *purpose*
obra *work*
obtener *to obtain*
ocultar *to hide*
oculto *hidden*
ocupado *occupied, busy*
ocuparse de *to take charge of*
oficio *job, trade, profession*
oído *ear*
óleo *oil (painting)*
olvidar *to forget*
opaco *dense, muffled*
orgulloso *proud*
oscuro *dark*

padecer *to suffer*
paja *straw*
paleta *palette*
pancho *sea bream*
pañito *cloth, antimacassar, doily*
papelote *m. dusty old paper*
par: de — en — *wide open*
parapeto *parapet, rampart*
participación *share*
pasado *past*
pasaje *m. passage ticket*
pasajero *passing*
pasillo *passageway, hallway*
pasta *crumpets, cookies*
pastel *m. pastry*
paz *f. peace*
pecho: niño de — *suckling child*
pedazo *piece*
pegar *to hit*
peinado *combed*
películas *movies, films*
peligroso *dangerous*
pelo *hair*
peluquera *hairdresser*
peluquería *beauty parlor*
pena *trouble*

pensamiento *thought*
pensativo *pensive*
peña *café gathering, social club*
peón *m. spinning top*
percal *m. percale*
perchero *hatrack*
perder *to lose*
periódico *newspaper*
perjuicio *detriment, harm*
perrería *depravity, mean acts*
perro: — ratonero *rat-chasing dog*
pesado *bothersome person; tiresome, fastidious*
pésame *m. condolence*
pesar: a — de *despite*
pescar *to fish, catch*
pie: estar de — *to be standing*
piedra *stone*
pieza *piece*
pincel *m. brush*
pindonguear *to gallivant*
pintor *painter*
pintura *paint, painting*
piscina *swimming pool*
piso *apartment, flat*
pitillo *cigarette butt*
plancha *iron*
plazo: a —s *on installments*
poderes: por — *by proxy*
pollo *chicken*
ponerse *to become*
portar *to behave, deal*; —se *to carry on*
portazo *door slam*
porvenir *m. future*
postura *stance, bearing*
potencia *volume, power*
prácticas: — de hospital *hospital training*
precio *price*

precioso *lovely*
precipitadamente *hurriedly*
precisión *need*
preferido *favorite*
prender *to take up*
preocupadísimo *very busy*
preocupado *worried*
preocupar *to worry*
presentar *to introduce*
presuntuoso *presumptuous*
pretender *to expect, try to*
primero *first*
principio *beginning*
prisa: tener — *to be in a hurry*
privar *to deprive*
probar *to try on*
probeta *siphon*
procurar *to try*
prodigio *prodigy, marvel*
prójimo *fellow being*
promoción *profession*
pronto *soon*
propio *self*
proporcionar *to provide*
provecho *profit*
prueba *proof*
puerto *port*
puesto *place*; — que *since
(causal)*
puñetazo *blow with the fist*

quedar *to remain*
querer *to love*
querido *dear*
queso *cheese*
quicio *hingepost*
quieto *still, quiet*
químico *chemist*
quitar *to take off*

rábano *radish*

ratón *mouse*
raya *groove, crack*
recado *message*; hacer un — *to
go on an errand*
recapacitar *to reconsider*
receta *recipe*
recibimiento *reception*
recoger *to take up, shorten,
gather together*
recortar *to cut out*
recto *straight*
referirse (a) *to refer (to)*
regalo *gift*
reír *to laugh*;—se de *to laugh at*
reloj *m. watch*; — de pared *wall
clock*
renunciar *to renounce, give up*
reparar *to repair, replenish*
repartir *to share, distribute*
resentido *resentful*
respetuoso *respectful*
resultado *result*
resultar *to turn out*
retirar *to retire, withdraw*
retrato *portrait*
reunir *to join, gather, possess*
rezar *to pray*
rincón *m. corner*
risa *laughter*
robaperros *m. or f. dog stealer*
rodear *to surround*
rogar *to beg*
ropa *clothing*
roto *torn*
rotundamente *firmly*
ruido *noise*
rumbo *direction*

sabio *wise man*
sacar *to get out, draw out*
sacudir *to shake*

sagrado *sacred*
sala: — de espera *waiting room*
saludar *to greet*
salvar *to save*
secta *sect*
según *according to*
semejante *m. or f. fellow being; similar*
sencillez *f. simplicity*
servicio *servants*
servilleta *napkin*
servir *to be useful*
silbar *to whistle*
sillón *m. armchair*
simpático *nice, affable*
simpleza *stupidity*
siquiera: ni — *not even*
sirena *foghorn*
sitio *place, location*
sobra: de — *a surfeit of, a surplus*
sobrar *to be in excess*
solapa *lapel*
solapado *cunning, insidious*
solas: a — *alone*
soledad *loneliness, solitude*
soler *to be in the habit of*
sollozar *to sob*
sobrerillo: — o boina *cap or beret*
someter *to subject, put under*
sonar *to sound, blow, ring*
sonido *sound*
sonriente *smiling*
soñar (con) *to dream (about)*
soporífero *sleeping pill*
sorprendido *surprised*
sorpresa *surprise*
sospechar *to suspect*
sostener *to sustain, support*
suceder *to happen*

suelo *floor*
suelto *loose*
sujeto *"character"*
superchería *fraud, trickery*
susceptible *touchy, impressionable*

tabique *m. partition wall*
taburete *m. stool*
talle *m. waistline*
tampoco *nor*
tanto: por lo — *consequently*
taparse *to cover up*
tapetito *small tablecloth*
tela *cloth*
telón *m. curtain*
tema *m. theme, subject (of conversation)*
temporada *period of time, while*
terminantemente *absolutely, positively*
terminar *to be through*
término: primer — *downstage;* . .por — medio *on the average*
tiempo *time, while*
tienda *store*
tierra: — de nadie *no man's land*
timbre: llamar al — *to ring the bell*
tíos *aunt and uncle*
tipo *kind*
tirar *to throw, heave*
titubear *to stammer*
título: —s de la cubierta *cover titles*
tocar *to play (an instrument)*
tontería *foolishness*
tonto *dull-witted*
torre *f. tower*
trabajador *hard-working*
trabajar *to work*

trabajo *work*
traicionar *to betray*
traje *m. suit*
tramo *flight of stairs*
trampa *trap, snare, deceit*
transigir *to put up with, com-
   promise*
trasnochador *night owl (person)*
tratarse de *to be a question of*
travesía *crossing*
tropezar *to come across, en-
   counter*
tropiezo *misstep, error*
tumbarse *to throw oneself*
tute *m. (a game of cards)*

últimamente *lately*
último *last, latest*
único *only*
útil *useful*

vacuna *vaccine*
vago *loafer*
vajilla *chinaware*
valer *to be worth*; — la pena *to
   be worthwhile*
valor *m. value*
vanidad *vanity*
vecindad *neighborhood*

vecino *neighbor*
veintitantos *twenty or so*
vencer *to overcome*
veneración *veneration, esteem*
ventaja *advantage, value*
ventanal *m. picture window*
vestido *dress*; — de calle *in
   street clothes*
vestir *to dress*
viajante *m. traveling salesman*
viciado *contaminated*
viento *wind*
violento *uncomfortable*
visillo *window shade or curtain*
vista: de — *by sight*
vistazo *glance*
visto: por lo — *apparently*
viuda *widow*
volar *to fly*
voltereta *somersault*
voz: en — baja *in a whisper*
vuelo *fullness, flare*; tela del —
   flounce cloth
vuelta *turn*; dando —s *pacing*

zancadilla: poner — *to resort to
   trickery*
zarandear *to shake*
zarpar *to get under way*

CDEFGHIJK 706987
PRINTED IN THE UNITED STATES OF AMERICA